Comunicação organizacional

CIP-BRASIL. CATALOGAÇÃO NA PUBLICAÇÃO
SINDICATO NACIONAL DOS EDITORES DE LIVROS, RJ

C789

Comunicação organizacional : práticas, desafios e perspectivas digitais / organização Carolina Terra, Bianca Marder Dreyer, João F. Raposo. - 1. ed. - São Paulo : Summus, 2021.
240 p. ; 24 cm.

Inclui bibliografia
ISBN 978-65-5549-039-8

1. Comunicação nas organizações. 2. Comunicação e tecnologia. 3. Comunicação empresarial. I. Terra, Carolina. II. Dreyer, Bianca Marder. III. Raposo, João F.

21-71648

CDD: 658.45
CDU: 005.57:004.7

Meri Gleice Rodrigues de Souza - Bibliotecária CRB-7/6439

www.summus.com.br

Compre em lugar de fotocopiar.
Cada real que você dá por um livro recompensa seus autores
e os convida a produzir mais sobre o tema;
incentiva seus editores a encomendar, traduzir e publicar
outras obras sobre o assunto;
e paga aos livreiros por estocar e levar até você livros
para a sua informação e o seu entretenimento.
Cada real que você dá pela fotocópia não autorizada de um livro
financia o crime
e ajuda a matar a produção intelectual de seu país.

Carolina Terra
Bianca Marder Dreyer
João F. Raposo
(orgs.)

Comunicação organizacional

Práticas, desafios e perspectivas digitais

COMUNICAÇÃO ORGANIZACIONAL
Práticas, desafios e perspectivas digitais
Copyright © 2021 by autores
Direitos desta edição reservados por Summus Editorial

Editora executiva: **Soraia Bini Cury**
Capa: **Alberto Mateus**
Diagramação: **Crayon Editorial**

Summus Editorial
Departamento editorial
Rua Itapicuru, 613 – 7º andar
05006-000 – São Paulo – SP
Fone: (11) 3872-3322
http://www.summus.com.br
e-mail: summus@summus.com.br

Atendimento ao consumidor
Summus Editorial
Fone: (11) 3865-9890

Vendas por atacado
Fone: (11) 3873-8638
e-mail: vendas@summus.com.br

Impresso no Brasil

SUMÁRIO

Introdução – *Carolina Terra, Bianca Marder Dreyer e João Francisco Raposo* . . 7

I • COMUNICAÇÃO ORGANIZACIONAL: TRANSFORMAÇÕES, MUDANÇAS E UM NOVO *MODUS OPERANDI*

1. Comunicação organizacional e transformação digital: novos cenários, novos olhares – *Elizabeth Saad* 13
2. Integração: alicerce dos processos comunicativos nas organizações – *Else Lemos* 24
3. Comunicação organizacional e estratégias de (in)visibilidade nas mídias sociais – *Diego Wander da Silva e Rudimar Baldissera* 37

II • COMUNICAÇÃO INTERNA CONTEMPORÂNEA

4. Comunicação com empregados em tempos de mídias sociais – *Bruno Carramenha* 53
5. As novas fronteiras da experiência do empregado – *Rodolfo Araújo* 64
6. Por uma nova comunicação interna: impactos tecnológicos e novas funções – *Flávia Apocalypse* 76

III • PÚBLICOS, AUDIÊNCIAS, DADOS E IMPACTOS

7. Públicos, plataformas e algoritmos: tensões e vulnerabilidades na sociedade contemporânea – *Daniel Reis Silva* 93
8. A comunicação organizacional midiatizada: entre os públicos e os dados – *João Francisco Raposo* 107
9. A audiência revelada: o *big data* acentua os desafios profissionais – *Margareth Boarini* 126

IV • INFLUÊNCIA E INFLUENCIADORES DIGITAIS: IMPACTOS NA COMUNICAÇÃO DAS ORGANIZAÇÕES

10. Comunicação organizacional e influenciadores digitais: aproximações e conflitos – *Issaaf Karhawi* 141

11. *Brandpublishers*: organizações como produtoras de conteúdo e influenciadoras digitais – *Carolina Terra* 154

V • PLANEJAMENTO E COMUNICAÇÃO MERCADOLÓGICA

12. Planejamento da comunicação de marca na era das plataformas digitais – *Daniele Rodrigues* 167

13. Marcas como agentes de sentido – *Eric Messa* 181

VI • GESTÃO DE CRISES EM TEMPOS DE COMUNICAÇÃO DIGITAL E MÍDIAS SOCIAIS

14. Gestão de crise e mídias digitais: relações públicas aplicadas antes, durante e depois – *Jones Machado* 197

15. O monólogo das marcas e as crises de reputação nas redes sociais – *Rosângela Florczak de Oliveira* 209

VII • MÉTRICAS E AVALIAÇÃO EM COMUNICAÇÃO ORGANIZACIONAL

16. Métricas na comunicação organizacional: reflexões e proposições – *Bianca Marder Dreyer e Issaaf Karhawi* 223

INTRODUÇÃO

Quando decidimos organizar esta obra, tínhamos em mente reunir autores de peso, cuja experiência na academia e no mercado pudesse contribuir para uma proposta inédita e atualizada das práticas no campo da comunicação organizacional.

Nosso objetivo de trazer o contemporâneo e a centralidade do digital para a comunicação no contexto das organizações foi tomando corpo à medida que começamos a receber os artigos dos 17 profissionais que fazem parte desta coletânea. *Comunicação organizacional – Práticas, desafios e perspectivas digitais* oferece reflexão, pesquisa acadêmica, estudos e experiências de mercado que reforçam a necessidade de investir em relações e estratégias digitais na contemporaneidade. O livro se divide em seis partes, que, a nosso ver, refletem tanto temas caros, imanentes, como tendências da comunicação organizacional.

Assim, na primeira parte – "Comunicação organizacional: transformações, mudanças e um novo *modus operandi*" –, Elizabeth Saad aborda a transformação digital, trazendo à tona novos cenários e olhares para a comunicação; Else Lemos fala da comunicação integrada e sua função basilar nos processos comunicativos das organizações; e Diego Wander da Silva e Rudimar Baldissera discutem as estratégias de (in)visibilidade da comunicação organizacional nas ambiências digitais.

A segunda parte – "Comunicação interna contemporânea" – ressalta as mudanças da comunicação com colaboradores em tempos de mídias sociais. Bruno Carramenha apresenta o tema, e Rodolfo Araújo discute as novas fronteiras na comunicação com empregados e como engajá-los nos dias atuais. Já Flávia Apocalypse mostra de que forma a tecnologia transformou a área de comunicação interna das organizações, que a usa como aliada.

A terceira parte – "Públicos, audiências, dados e impactos" – dedica-se a examinar as transformações em conceitos como públicos e audiências e os consequentes efeitos na comunicação organizacional. Daniel Reis Silva trata das plataformas digitais, dos algoritmos e de como tal contexto altera os públicos na sociedade contemporânea; João Francisco Raposo discorre sobre a comunicação organizacional e seus públicos numa dinâmica de dados, midiatização e plataformização das relações; e Margareth Boarini apresenta o *big data*, suas novas dinâmicas para o comunicador e seus impactos na análise das audiências.

A temática da influência digital e seus impactos na comunicação organizacional é objeto de reflexão da quarta parte do livro. Issaaf Karhawi debate aproximações teóricas e estratégicas para a atuação de tais atores digitais no campo, e Carolina Terra não só discute de que forma as organizações podem se tornar agentes influenciadoras na rede, como também cria um acrônimo da influência digital delas.

Na quinta parte, os temas centrais são o planejamento, a comunicação mercadológica e sua relação com a comunicação organizacional. Daniele Rodrigues traz o passo a passo de uma proposta de estrutura para planejar a comunicação corporativa, e Eric Messa trata da comunicação espontânea e de como as marcas podem vir a ser agentes de sentido na contemporaneidade.

Olhares atuais sobre gestão de crises em tempos de comunicação digital e mídias sociais são o foco da sexta parte. Jones Machado apresenta uma matriz estratégica da comunicação de crise aplicada às organizações; e Rosângela Florczak reflete sobre as mudanças e os avanços nas estratégias comunicacionais das organizações quando ocorrem crises que ameaçam reputações.

Finalizando nossa coletânea, um tema de extrema importância sempre latente na comunicação organizacional: métricas e avaliação. Bianca Dreyer e Issaaf Karhawi explanam o conceito de métrica, além de apresentar proposições teóricas e práticas para lidar com dados, avaliação e indicadores no fazer da comunicação organizacional.

Preparamos este livro com carinho, escolhendo temas que consideramos muitíssimo relevantes ao campo em tempos mutantes, de velocidade, volatilidade, imediatismo e necessidade de relacionamento e transparência.

Esperamos contribuir para o debate, a reflexão e o avanço da área que nos é tão cara e pela qual somos os três apaixonados: a comunicação organizacional e suas interfaces.

Desejamos uma ótima leitura.

Carolina Terra
Bianca Marder Dreyer
João Francisco Raposo

I • COMUNICAÇÃO ORGANIZACIONAL: TRANSFORMAÇÕES, MUDANÇAS E UM NOVO *MODUS OPERANDI*

1. COMUNICAÇÃO ORGANIZACIONAL E TRANSFORMAÇÃO DIGITAL: NOVOS CENÁRIOS, NOVOS OLHARES

Elizabeth Saad

INTRODUÇÃO

Difícil pensar em relações humanas, não importando a época, sem identificar alguma forma de sociabilidade baseada num meio de conexão. Trocas de ideias, opiniões, percepções, necessidades e informações são inerentes ao ser humano – que, ao longo de sua evolução social, tem buscado formas e canais que possibilitem a melhor expressão, o amplo alcance, a rapidez da troca e sua repercussão para além do indivíduo. A comunicação sempre se constituiu como meio e processo conector em qualquer forma organizativa da sociedade – grupos sociais, organizações, espaços institucionais, educativos, políticos e econômicos. Na contemporaneidade, falamos de um processo social inerente ao homem, no qual formatos e canais foram se transformando em paralelo à própria evolução do conhecimento e da técnica – mudam formas e meios, permanece a relação.

Ao mesmo tempo, é possível identificar nos processos de sociabilidade a existência de um dispositivo facilitador de mediação – da voz e dos sinais utilizados nos primórdios do pré-letramento aos códigos de 0 e 1 que regem computadores, um enorme volume de dados e inteligências artificiais que antecipam as necessidades do ser humano. Dispositivos que hoje podemos denominar genericamente *tecnologias*.

Iniciamos a terceira década do século 21 com um cenário altamente midiatizado, em que os processos comunicativos se tornam centrais para a vida em sociedade, ocorrendo por meio de mediações digitalizadas nas quais rapidez e instantaneidade, mobilidade e multiplicidade de vozes são

Carolina Terra, Bianca Marder Dreyer e João Francisco Raposo (orgs.)

determinantes. Paradigmas se alteraram, outros papéis sociais emergiram, dispositivos se miniaturizaram e, ao mesmo tempo, se sofisticaram, novos atores não humanos assumiram um espaço significativo nas relações com humanos.

Desde a segunda metade do século 20 – que o diga Marshall McLuhan –, diferentes pesquisadores e estudiosos vinham preconizando que os processos de comunicação de nosso cotidiano entrariam numa espiral de transformação irreversível, definida muitas vezes pela rápida inovação nas tecnologias de produção, distribuição e disseminação de mensagens e conteúdos. Tipicamente um processo de disrupção[1].

Diante disso, seria viável nos perguntarmos de qual comunicação estamos falando se, apesar de todas as transformações, ainda não podemos assegurar sua universalidade? Seria viável rotularmos o atual cenário como "comunicação digital" sem incluir um campo mais amplo de relações?

Está claro que o processo comunicativo, em essência, permanece com elementos que expressam mensagens, com elementos que recebem essas mensagens e com dispositivos que fazem a roda girar para que se alcance a mediação pretendida. Ocorre que vivenciamos um momento sociotécnico em que *elementos* não mais se restringem à ação humana e *dispositivos* não mais se restringem aos clássicos suportes midiáticos segmentados conforme a tecnologia que carregam.

Os parâmetros das demandas sociais e econômicas foram se alterando à medida que constituíram um conjunto de demandas coletivas apoiadas no que se denomina *disrupção* – seja tecnológica, seja social, seja econômica. A edição 2020 do Fórum Mundial Econômico aponta:

> As disrupções tecnológicas, demográficas e macroeconômicas estão remodelando nossa economia e sociedade. Os consumidores querem segurança,

---

1. Segundo o *Dicionário Houaiss da língua portuguesa*, disrupção é a interrupção do curso normal de um processo. O termo, hoje associado às alterações provocadas pela digitalização generalizada, pela onda de startups e diversas versões de atividades do digital, foi definido pelo falecido Clayton Christensen, professor da Harvard, como a transformação completa de um negócio ou cadeia de valor a partir de mudanças na tecnologia, nas relações com o ambiente, na forma de monetizar a nova atividade. Por outro lado, é importante reforçar que processos disruptivos não ocorrem apenas em virtude de inovação tecnológica. Esses processos são amplos, pois vêm associados a mudanças radicais que impactam relações, comportamentos, costumes e paradigmas.

privacidade e responsabilidade ambiental. Os colaboradores exigem tanto forte senso de propósito como recompensas. E os reguladores atacam práticas comerciais no setor bancário, no energético, no de saúde e no de grande tecnologia, que nas últimas décadas se dedicaram acima de tudo a fornecer valor para os acionistas. Se quisermos um mundo coeso e sustentável, deveremos ser capazes de olhar além das fronteiras das corporações, sociedades e comunidades em que operamos.[2]

A proposição de uma visão de mundo que ultrapasse as fronteiras corporativas para que se pense em todo o tecido social evidencia a comunicação como o meio conector dos processos de transformação.

Não podemos negar que as rupturas que vêm ocorrendo desde a popularização da internet e, posteriormente, das plataformas sociais ancoradas na rede mundial de computadores acabam por alterar os processos de sociabilidade e de relação social. Hoje, é possível considerar que o campo epistemológico das ciências da comunicação – no qual se situa a comunicação organizacional – ampliou-se de forma considerável, passando a englobar numa mesma matriz os espectros teóricos e as especialidades como o jornalismo, as relações públicas, as ciências da informação. Uma clara disrupção do formalismo historicamente consolidado.

Mais do que disrupção, é preciso assumir que a comunicação contemporânea atua como mediadora e canal de midiatização num cenário totalmente fluido e movente – a sociedade líquida cunhada por Zygmunt Bauman. Com isso, coloca-se em jogo uma contínua mutação das lógicas de poder que articulam a sociedade, as quais, por sua vez, impactam os processos comunicativos das organizações contemporâneas. No dizer de Angela Marques e Renan Mafra (2013-2014, p. 3), "o contexto organizacional, apesar de ser constituído pelas interações sociais, pelo uso comunicacional da linguagem e pelos discursos, não pode ser apreendido fora de tensões de poder e desigualdades que interferem em como o diálogo opera e funciona em tal contexto".

---

2. The Shift, online, acesso em 28 de janeiro de 2020.

Carolina Terra, Bianca Marder Dreyer e João Francisco Raposo (orgs.)

Assim, podemos afirmar que a comunicação de que falamos aqui é bem mais ampla que o recorte de "comunicação digital"; atua num cenário sociotécnico fluido e movente; insere-se num espectro pautado por disrupções e em que as tecnologias digitais predominam; e – sobretudo no contexto organizacional – move-se em cenários de disputa entre lógicas de poder nas quais atores humanos e não humanos estão em posição de igualdade.

Em paralelo a todo esse processo disruptivo, as mudanças no ambiente também vêm cunhadas pela *transformação digital*[3], termo disseminado como o grande momento da sociedade (quase uma determinação) e, especialmente, das empresas. Termo que, ao fim e ao cabo, refere-se à necessidade que os diferentes atores sociais têm de adaptar-se às mudanças disruptivas. Algo que sempre ocorreu ao longo da história e que no presente está relacionado à digitalização – alguma coisa como "adapte-se aos novos processos sob pena de perecimento".

Importante observar que a transformação digital não é apenas uma transformação pelo uso de tecnologias digitais nas organizações. Nela se inclui o fator humano, imbuído de resistências, participação e colaboração, culturas e valores. Sem o fator humano não há transformação, digital ou não. Ao mesmo tempo, ressaltamos que, à medida que as mudanças se naturalizam no tecido social, estabelece-se uma espécie de simbiose entre o comportamento e o senso de pertencimento ao novo cenário. Mais ainda, cria-se um novo patamar sociotécnico e econômico que favorece o determinismo para a transformação. E aqui temos a comunicação como o elemento conector do processo.

Corroborando a visão de amplitude da mudança e a centralidade da conexão por meio da comunicação, eis o depoimento de Cassio Pantaleoni, presidente do SAS Brasil, filósofo e entusiasta das relações interpessoais como motor de mudanças:

---

3. É complexo fecharmos um conceito universal para transformação digital. A começar pela variação do termo, muito utilizado nos ambientes econômicos – indústria 4.0 ou inovação tecnológica. A grande maioria das disrupções que ora vivenciamos tem no bojo todo um conjunto de dispositivos: *big data*, algoritmos, inteligência artificial, dispositivos móveis, *deep learning*, plataformização e sistemas de *blockchain*, entre outros dispositivos motivadores e condutores de um processo de transformação digital. Transformação digital é um conceito ainda emergente, interdisciplinar, ligado a tecnologias de informação, computação, comunicação e conectividade, mas fundamentalmente enraizado na mudança da cultura das organizações.

Muitas empresas imaginam que a disrupção, a transformação digital e a inovação são funções de uma entidade dentro da empresa, que pode ser uma pessoa ou uma área. E não é assim. Na verdade, é a empresa como um todo que tem que se voltar para a questão da inovação e da transformação. Tem que haver um conluio no sentido de dizer: "Vamos produzir aqui toda a inteligência necessária, vamos usar toda a inteligência de que dispomos para repensar aquilo que a gente faz e vamos escutar". Mesmo a ideia mais absurda tem que ser ponderada. Na verdade, é preciso uma sacudida para acontecer a inovação. E esse chacoalhão acontece por meio das pessoas, não por meio de uma área ou de uma estrutura organizacional.[4]

Se a mudança é visível e necessária, se a mudança atual ocorre em virtude de um processo de digitalização acelerado e generalizado e se a comunicação de per si é um elemento central para que ela ocorra, é importante discutirmos qual seria essa comunicação para além do digital.

COMUNICAÇÃO NO CENÁRIO DA TRANSFORMAÇÃO DIGITAL

Diversos pesquisadores têm buscado (re)posicionar os processos comunicativos no cenário vigente do tecido social e das atividades estruturadas daí decorrentes. Ao mesmo tempo, construíram-se inúmeras denominações para indicar adequações entre as transformações sociais e os processos comunicacionais e para, internamente às estruturas organizacionais, incluir atividades que integrem relações públicas, gestão de pessoas e marketing.

Em especial no que se refere à comunicação organizacional, a pesquisa acadêmica brasileira vem contribuindo de modo consistente para que se entenda o comunicar em ambientes moventes e impactados pela digitalização. Sob pena de não dar conta de todas as contribuições, destaco as mais diretamente relacionadas ao tema: Margarida Kunsch e suas propostas sempre atualizadas de comunicação integrada; Eugenia Barrichello e

---

4. The Shift, online, acesso em 31 de janeiro de 2020.

sua visão de ecossistema comunicativo; eu própria, com a inclusão do digital nos modelos de comunicação integrada; Carolina Terra, com uma reconfiguração do papel do usuário; Bianca Dreyer e o entendimento de que o conceito de relação é central no entendimento da comunicação contemporânea; e João Francisco Raposo, com a discussão da governança algorítmica na comunicação das empresas.

À medida que as transformações sociotécnicas se intensificaram no digital, diversos termos foram incorporados por pesquisadores, consultores e gestores para caracterizar a comunicação nas organizações como item conector da operação como um todo: comunicação integrada; comunicação integrada digital; *social business*; ecossistema comunicativo; comunicação 2.0; comunicação 3.0; comunicação e inovação; e comunicação e transformação digital, entre outros. Todos esses termos objetivavam – objetivam ainda, pois permanecem em voga – expressar da melhor forma o estágio evolutivo da comunicação, sem, claro, desconsiderar os preceitos básicos da área.

Entendemos que, nestes inícios da terceira década do século, ressurge a oportunidade de adequar termos e conceitos. A título de mais uma contribuição, propomos um cenário/modelo que pode sustentar a visão mais recente do campo da comunicação organizacional, no qual a transformação digital tem sido o vetor no mundo corporativo. Baseamos nossas reflexões nos estudos atualmente desenvolvidos sob a égide do Grupo de Pesquisa COM+, em especial nos dos pesquisadores citados mais acima.

A proposta da *comunicação na transformação digital* parte de um conjunto de variáveis do ambiente – em transformação contínua – e incorpora aspectos *extracore*. A Figura 1 (p. 19) resume tal proposta. Vejamos em detalhe o funcionamento desse modelo.

COMUNICAÇÃO ORGANIZACIONAL AMPLIADA
Refere-se ao ambiente interno e externo de atuação de uma organização, os quais ocorrem numa sociedade continuamente conectada, em geral por meio de ambiências digitais em formatos reticulares que funcionam como suporte para transações e processos de sociabilidade diversos. Ao mesmo

Comunicação organizacional

Figura 1. Modelo para a comunicação na transformação digital (elaborado pela autora)

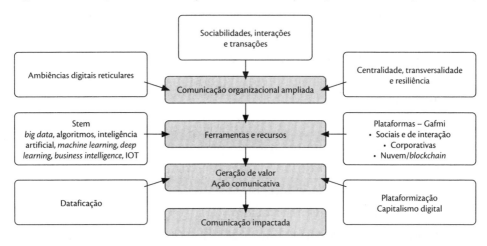

tempo, tais ambientes levam em conta os conceitos de centralidade, transversalidade, flexibilidade e resiliência (Saad Corrêa, 2015), necessários para a adequação ao digital.

Portanto temos sociabilidade, conexão, redes digitais e interações como os conceitos-chave de todo o modelo.

FERRAMENTAS E RECURSOS PARA ATUAÇÃO CONECTADA

Dois contextos sociotécnicos constituem esse conjunto:

1   O campo das Stem – *science, technology, engineering and mathematics* –, o qual engloba conhecimentos e recursos que possibilitam o uso de bases de dados, algoritmos, inteligência artificial, *machine learning*[5], *business intelligence*[6], *deep learning*[7] e internet das coisas para realizar os processos de comunicação e sociabilidade;

---

5.   *Machine learning* [aprendizado de máquina]: recurso algorítmico da inteligência artificial que permite aos computadores aprender de acordo com as respostas esperadas por meio de associações de diferentes dados, os quais podem ser imagens, números e tudo que essa tecnologia seja capaz de identificar.
6.   *Business intelligence* [inteligência de negócios]: atividade de análise e correlação de dados gerados nos processos computacionais objetivando gerar informações que alavanquem os relacionamentos de uma organização com seus públicos.
7.   *Deep learning* [aprendizado profundo]: ocorre a partir dos processos gerados pelo aprendizado de máquina para identificar e personalizar objetos e imagens que circulam em bases de dados.

2   O espaço etéreo das nuvens computacionais (Gafmi[8]), que reúne plataformas de interação e informação como Google, Facebook, Twitter, WhatsApp e Instagram; as plataformas de relações corporativas e B2B como o LinkedIn e, em alguns casos, o WhatsApp; e as *clouds* focadas em atividades para empresas, como Amazon, IBM Watson, Azure Microsoft e Adobe.

Em geral, esses conjuntos não são parte central da formação técnica do comunicador, mas constituem uma soma de competências e habilidades multidisciplinares que se integram às atividades comunicativas.

Aqui, os termos-chave para o campo da comunicação organizacional são multidisciplinaridade, trabalho colaborativo, proximidade com os públicos e dialogismo.

OS PROCESSOS DE GERAÇÃO DE VALOR: A AÇÃO COMUNICATIVA

Com o uso das Stem e das plataformas sociais digitais como espaço de atuação da comunicação, ocorrem as múltiplas transações (concretas e abstratas) de um indivíduo ou de um conjunto de indivíduos, de uma organização, de entidades e instituições, de governos, de veículos midiáticos – enfim, de todo o tecido social conectado.

Autores como José van Djick (2018), Nick Couldry e Jun Yu (2018) e Christian Fuchs (2015), entre os principais, analisam os processos de comunicação no contexto da transformação digital como um período de *capitalismo digital*, *sociedade plataformizada* e/ou *dataficação*. Tais formatos – o sociotécnico e o econômico – transferem a grande maioria das atividades de comunicação e seus diversos públicos para o âmbito das plataformas sociais digitais e das transações resultantes, ocorrendo numa lógica liberal e privatizada. Importante destacar que esse cenário faz que o planejamento e a operação da comunicação de uma organização, bem como suas respectivas marcas e identidades, passem a ocorrer em ambientes digitalizados operados por outras empresas, privadas, que exercem determinismos

---

8. Sigla para Google, Amazon, Facebook, Microsoft e IBM.

sobre os processos de sociabilidade e transação – a exemplo de *likes*, *replies* e metrificação de *followers* – impactando o alcance e a repercussão de conteúdos. Falamos de um processo parametrizado por plataformas sociais digitais como Facebook, Google e Twitter, cada uma delas com algoritmos reguladores, regras de visibilização e formatos transacionais próprios.

Nesta etapa, são conceitos-chave para quem está inserido em processos de comunicação nas organizações a gestão de plataformas sociais, a rapidez no tempo de resposta nas interações e a atualização constante.

A AÇÃO COMUNICATIVA IMPACTADA PELO DIGITAL

A resultante desse modo de atuar em comunicação nos tempos recentes é a incorporação – para o bem ou para o mal – de todo um conjunto de competências, conceitos, ocorrências, acontecimentos e posicionamentos que decorrem das ações instaladas em ambiências digitais.

A extensão das "novidades" para o trabalho do comunicador é enorme. Assim, optamos por apenas listar aquelas mais significativas, as que mais impactam, as de entendimento mais necessário. A transformação digital traz para o campo da comunicação organizacional uma sequência de ressignificações:

- identidade, subjetividade e visibilidade de indivíduos e de marcas ante o espetáculo em que se transformaram as plataformas;
- poderes e controles do social, o que gerou uma ética nova (ou, por vezes, *fake ethics*) e uma hibridização das noções antes consolidadas de espaço público e espaço privado;
- outro entendimento do que seja tempo e historicidade – o cronológico passa a conviver com o diacrônico, a memória passa a integrar o agora;
- os processos de informação e consumo são impactados por formatos viáveis na abstração do *cyber* e acabam por potencializar processos paralelos de desinformação, não verdade e, obviamente, crises de comunicação;
- o trabalho assume uma des-hierarquização e uma espécie de desvinculação institucional denominada por muitos *uberização*, em referência

às formas informais trazidas por empresas não tangíveis, de que são exemplos a Uber, o Airbnb e o Nubank.

Os termos-chave para o comunicador atuar sob impacto são: atualização (constante); desconstrução; reconstrução; flexibilidade; e resiliência.

Temos claro que o modelo proposto não é fechado, nem muito menos definitivo, mas a proposição de um olhar para o campo da comunicação organizacional que seja mais adaptativo e possibilite o dinamismo e a amplitude de percepção do que representa atuar em tempos de transformação digital.

OLHARES CRÍTICOS E CONSIDERAÇÕES FINAIS

Processos de mudança, inovação e transformação nem sempre são simples e imediatamente incorporados ao tecido social. Além disso, devemos ter cuidado ao pensar que este momento de "transformação digital" surge como a salvação da sociedade e a integração de todos ao novo modo de agir. Rupturas também convivem com rejeições, incompreensões e resistências.

A hegemonia e onipresença que a transformação digital vem demonstrando nos faz considerar que vivemos algum determinismo nas operações do trabalho, do mercado e da indústria em geral. É preciso adequar-se minimamente ao processo, sob pena de extinção gradativa.

Tal cenário não nos isenta de questionamentos nem de alertas. E para isso recorremos a referências recentes que corroboram nosso olhar. Autores da filosofia e da história – por exemplo, Yuval Noah Harari (2018) e Byung-Chul Han (2018) – enfatizam que nosso viver contemporâneo está irremediavelmente digitalizado e, ao mesmo tempo, incorpora todo um conjunto de transformações do que seja privacidade, robotização do humano, relações pervasivas e vigilância, entre outros aspectos.

Considerando o campo da comunicação, é preciso repensar o processo de planejamento e efetivação dos processos comunicativos – aspectos como as transformações do trabalho e dos modos de produção e consumo na sociedade – que afetam diretamente a mediação e midiatização atuais e, em consequência, o trabalho do comunicador. Mais especificamente para a atividade de comunicação nas organizações, também há que se repensar a intensidade do uso de ferramentas e novos atores do ecossistema – por exemplo, influenciadores/*youtubers* – e a respectiva adequação à proposta comunicativa e à audiência desejada. Devem-se considerar os melhores instrumentos e formas de proximidade com o público-alvo que tenham aderência ao plano e à imagem de marca. E é necessário levar em conta que, nas ambiências digitais, os ritmos e tempos são diversos daqueles do mundo analógico e, portanto, conteúdos e respectivos impactos nos públicos tornam-se exponenciais e potencialmente geradores de crises, exigindo ação imediata e planejada dos comunicadores.

Teríamos ainda um enorme espaço para refletir sobre a etapa de planejamento e gestão dos processos de comunicação nas organizações em tempos de transformação digital. Por ora, apenas indicamos os caminhos.

REFERÊNCIAS

Couldry, Nick; Yu, Jun. "Deconstructing datafication's brave new world". *New Media & Society*, v. 20, n. 12, p. 4473-91.

Fuchs, Christian. *Culture and economy in the age of social media*. Nova York: Routledge, 2015.

Han, Byung-Chul. *No enxame: perspectivas do digital*. Trad. Lucas Machado. Petrópolis: Vozes, 2018.

Harari, Yuval Noah. *21 lições para o século 21*. Trad. Paulo Geiger. São Paulo: Companhia das Letras, 2018.

Marques, Angela; Mafra, Renan. "O diálogo, o acontecimento e a criação de cenas de dissenso em contextos organizacionais". *Dispositiva*, v. 2, n. 2, nov. 2013--jun. 2014.

Saad Corrêa, Elizabeth. "Centralidade, transversalidade e resiliências: reflexões sobre as três condições da contemporaneidade digital e a epistemologia da comunicação". In: *Anais do XIV Congresso Ibero-Americano de Comunicação (Ibercom) 2015: Comunicação, cultura e mídias sociais*. São Paulo, ECA-USP, 2015.

Van Dijck, José et al. *The platform society: public values in a connective world*. Oxford: OUP, 2018.

2. INTEGRAÇÃO: ALICERCE DOS PROCESSOS COMUNICATIVOS NAS ORGANIZAÇÕES

Else Lemos

INTRODUÇÃO

Com base em mera observação empírica, pode-se dizer que o termo *comunicação integrada* é dos mais presentes nas propostas aplicadas – planos, projetos, campanhas – de comunicação. Trata-se de uma expressão com amplo espectro de usos, variando de explicações do senso comum a propostas conceituais de diferentes autores e pesquisadores no campo da comunicação e do marketing. Ou seja, suas aplicações têm grande plasticidade. De fato, a compreensão de comunicação integrada é bastante abrangente porque pressupõe adotar alguma interpretação sobre o que é comunicação. Sobretudo, depende do significado atribuído a integração. Afinal, é possível que muitos deem alguma explicação plausível para a expressão *comunicação integrada* sem ter nenhum conhecimento prático ou teórico do assunto.

Comumente, toma-se *comunicação* como função que contribui para manter o equilíbrio no complexo sistema organizacional. Nesse sentido, a abordagem predominante do tema é funcionalista. Com a ampliação dos estudos sobre cultura organizacional, ganham relevância os processos contínuos de construção de sentidos compartilhados (abordagem interpretativa). Tais visões são bastante úteis e relevantes para os estudos que, nos campos da comunicação organizacional e das relações públicas, buscam analisar por diferentes ângulos os fenômenos de comunicação inerentes às organizações.

Ao pensar a comunicação formal das organizações como passível de planejamento, assume-se que o ato de planejar consiste em etapas definidas que visam reduzir as incertezas e levar a organização a realizar suas finalidades, construir relativa coesão e obter aceitação pública. A ideia central que rege essa concepção é que o ato de planejar, executar e avaliar leva a alcançar os objetivos organizacionais, mais especificamente os de comunicação.

Na vida organizacional cotidiana, entretanto, a informalidade e o imprevisto são também forças contínuas, atuando sobre o microambiente, o ambiente relevante e o macroambiente. Assim, os elos entre comunicação, integração e organizações podem levar a outro cenário, permeado de tensões, conflitos e imprevisibilidade. Nesse sentido, a abordagem crítica e a pós-moderna nos apresentam grandes desafios conceituais e práticos. Este ensaio examina a importância do conjunto de abordagens para que haja, de fato, um entendimento ampliado de comunicação integrada como campo de prática e de estudo.

Segundo o *Dicionário Houaiss da língua portuguesa*, *integrar* tem origem no latim *intĕgro* (ou *intĕgro*), e seu sentido é "recomeçar, renovar; restabelecer, restaurar". Integrar é "incluir(-se) um elemento num conjunto, formando um todo coerente; incorporar(-se), integralizar(-se)"; é "adaptar (alguém ou a si mesmo) a um grupo, uma coletividade; fazer sentir-se como um membro antigo ou natural dessa coletividade". Por fim, destacamos a seguinte definição: "unir-se, formando um todo harmonioso; completar-se, complementar-se". Diante disso, *integrado(a)* diz respeito àquilo que se integrou, que está adaptado, que foi incorporado. Quanto a *integração*, indica "ato ou efeito de integrar(-se)", "incorporação de um elemento num conjunto".

Assume-se, aqui, a centralidade das palavras *integrar* e *integração* para uma discussão contemporânea, crítica e ampliada de "comunicação integrada". Entendemos *integração* como uma relação que se desenvolve no cotidiano, nas interações, nos conflitos – de pessoas, grupos e organizações – por meio da comunicação.

Carolina Terra, Bianca Marder Dreyer e João Francisco Raposo (orgs.)

COMUNICAÇÃO INTEGRADA: CONTROVÉRSIAS DISCIPLINARES

As grandes questões que afligem os comunicadores no momento de pôr em prática a comunicação integrada têm sido alvo de debates profissionais e acadêmicos ao longo das últimas três décadas, pelo menos. A necessidade de produzir resultados mais tangíveis para as organizações levou o tema a um patamar destacado nas pesquisas da escola de comunicação estratégica. Por longo período, as relações públicas estiveram na defensiva, considerando haver um suposto imperialismo do marketing. Essa posição se diluiu com o decorrer do tempo, e a ideia de inevitabilidade da integração entre as duas áreas ganhou força.

Os estudos sobre comunicação integrada e comunicação integrada de marketing[1] emergiram na década de 1980[2] e tiveram seu auge nos anos 1990-2000. As principais definições abrangem três disciplinas centrais para o debate: marketing, relações públicas e publicidade e propaganda. Em geral, há mais fragmentação que integração no debate, e duas grandes visões o dominam: uma centrada no marketing e outra centrada nas relações públicas.

A visão de marketing se voltava de início para mercados e consumidores, estando muito ligada à publicidade; e a escola de relações públicas orientava seus estudos e aplicações para o conjunto de stakeholders, abrangendo assim organizações – a administração pública, por exemplo – que não têm por ênfase central a ação mercadológica. Aos poucos, pesquisadores e profissionais de marketing também passaram a considerar

---

1. Importante destacar que nos referimos ao debate que surgiu em publicações (periódicos e livros), já que, como prática, a comunicação integrada, tanto no âmbito estratégico quanto no operacional, despontou na virada do século 19 para o 20. Simon Torp (2009) fez uma análise disso, indicando o caso AT&T (início dos anos 1900) como exemplo significativo de integração coordenada do mix de comunicação.
2. Numa busca pelos termos *integrated communications* e *integrated marketing communications* nos principais diretórios de pesquisa no período entre 1970 e 2017, localizamos ensaios e artigos com essas palavras-chave publicados em diversos periódicos internacionais, os quais foram então objeto de nossa análise em pesquisa pós-doutoral concluída em 2020. No Brasil, destaca-se a obra de Margarida M. K. Kunsch, cuja proposta autoral sobre planejamento de relações públicas na comunicação integrada (1986, 1997, 2003, 2009, 2016) ganhou grande relevância. Cabe esclarecer que os estudos sobre *integração*, no âmbito quer da comunicação, quer dos estudos organizacionais, começaram bem antes, no início do século 20, sobretudo no campo da administração e da psicologia.

todos os atores que interagem com a organização, não apenas consumidores e clientes. Essa ampliação se mostrou bastante profícua depois que Tom Duncan e Clarke Caywood (1995, p. 21-33) publicaram sua proposta de estágios evolutivos de integração em IMC, uma representação em círculos concêntricos que, do menor para o maior círculo, indica os seguintes estágios:

1   Conhecimento (*awareness*), referindo-se à capacidade para acompanhar as tendências do ambiente, buscando garantir a adaptabilidade da organização às demandas do mercado.
2   Integração de imagem – importância da integração de mensagens e identidade visual).
3   Integração funcional – análise estratégica das áreas organizacionais que assumem funções de comunicação, buscando-se integração de forças.
4   Integração coordenada – compartilhamento de orçamentos, metas e resultados esperados pelas áreas organizacionais que assumem funções de comunicação.
5   Integração baseada no consumidor – ações de relacionamento prioritariamente voltadas para clientes e consumidores.
6   Integração baseada nos stakeholders – reconhecimento de diversos stakeholders como parte fundamental de um plano integrado.
7   Integração baseada na gestão de relacionamentos – esforço de gerenciamento integrado dos relacionamentos vitais para a organização.

Nota-se que, na transição entre integração baseada no consumidor (5) e integração baseada nos stakeholders (6), o papel das relações públicas ganha grande peso diferencial, o que fica evidente na integração baseada na gestão de relacionamentos (7). De forma geral, pode-se dizer que a disputa discursiva entre as áreas de marketing e relações públicas pouco contribuiu para o debate, e a construção de uma proposta "integradora" permanece um desafio.

Nesse ponto, destaque-se o pensamento de Philip Kotler e William Mindak (1978), que discutiram se marketing e relações públicas seriam parceiros ou rivais, demonstrando que o nível de integração entre essas áreas depende primordialmente do tipo de organização em questão – uma abordagem claramente situacional. Os autores delimitaram cinco modelos de relacionamento entre marketing e relações públicas nas organizações, a depender de variáveis como tipo de atividade, porte e modelo de atuação, entre outras. Assim, marketing e relações públicas podem ser empregados:

1. Como funções separadas, mas com igual peso na estrutura e na estratégia organizacional.
2. Como funções que são iguais quanto ao peso, mas se sobrepõem em algumas situações.
3. Considerando marketing a função dominante e relações públicas a função subordinada.
4. Considerando relações públicas a função dominante e marketing a função subordinada.
5. E, por fim, considerando marketing e relações públicas a mesma função na estrutura organizacional.

A proposta de Kotler e Mindak foi depois retomada por James Hutton (1996), o qual ressaltou que em determinados tipos de organização o peso da função de marketing é necessariamente mais expressivo, valendo o mesmo para relações públicas em outros contextos. Essa visão reforça a importância de não se atribuir legitimidade plena a modelos herméticos de comunicação integrada, pois o peso das disciplinas varia conforme o contexto, o objetivo e o público.

FORMAS DE INTEGRAÇÃO: EVIDÊNCIAS NA PRÁTICA E NA LITERATURA

Ao longo do tempo, constitui-se uma discussão bem delimitada sobre o que se entende por comunicação integrada nas principais definições da área, predominantemente segundo a abordagem funcionalista. Além da já mencionada integração disciplinar, destacam-se a integração entre plano de comunicação e macroestratégia organizacional; a integração de atividades de comunicação; a integração de canais, mensagens, meios e públicos; e a integração entre, de um lado, organizações-clientes e, de outro, agências, assessorias e consultorias de comunicação. A seguir, comentamos cada uma delas.

INTEGRAÇÃO ENTRE PLANO DE COMUNICAÇÃO E ESTRATÉGIA ORGANIZACIONAL

Ainda hoje, um dos maiores desafios para a plena realização da comunicação integrada é o elo estratégico entre o planejamento organizacional global e o plano de comunicação. Um bom plano de comunicação integrada é aquele que está atrelado à estratégia, à filosofia e, quando aplicável, aos negócios da organização (Kunsch, 2003).

Grande parte da dificuldade de integração estratégica está na própria organização, sendo um ponto a desenvolver entre seus membros e/ou por eles. Assim, as dimensões humana, política e relacional da comunicação devem nortear o processo de construção do plano de comunicação integrada. A abertura para interagir e participar é elemento central nesse processo, e a mediação digital pode ser avaliada como recurso primordial ou adicional para facilitar a inclusão de múltiplos atores organizacionais.

INTEGRAÇÃO ENTRE ATIVIDADES DE COMUNICAÇÃO

Essa compreensão de comunicação integrada é bastante comum em agências e assessorias de comunicação, sendo muitas vezes apresentada como mera oferta conjunta – total ou parcial – de atividades como planejamento, comunicação interna, assessoria de imprensa, gerenciamento de crises e comunicação digital, entre outras, compondo um pacote integrado de serviços de comunicação. O mesmo enfoque pode ser visto em organizações-clientes, nas quais pode haver integração ou separação entre áreas/departamentos que assumem essas atividades, notadamente comunicação interna *versus* comunicação corporativa *versus* marketing. A integração de atividades é um desafio para as organizações – questões como distribuição orçamentária, peso estratégico atribuído à área de comunicação e limitações estruturais nem sempre favorecem a integração plena. Esta, aliás, talvez nem seja desejável em certos casos, pois, ao pensar em comunicação integrada, a organização deve ser considerada em sua singularidade estrutural, conjuntural, cultural e econômica.

INTEGRAÇÃO ENTRE CANAIS, MENSAGENS, MEIOS E PÚBLICOS

Uma das mais tradicionais e importantes formas de comunicação integrada se dá pela definição de mensagens e respectivos meios de distribuição, sempre com vistas a alcançar os públicos relevantes em dado momento, segundo objetivos preestabelecidos. Tal perspectiva possibilita construir campanhas integradas que conferem unidade narrativo-discursiva e estética às mensagens, usando-se o mix de comunicação para realizar as finalidades comunicacionais, transacionais, relacionais e negociais da organização.

Essa forma de associação entre meios, mensagens e finalidades é fundamental para o sucesso das ações de comunicação e deve ser levada em conta ao se elaborar um plano de comunicação integrada, pois permite à organização disseminar suas mensagens de forma planejada, bem como cria condições para acompanhar, avaliar e mensurar os impactos, repercussões e novas atribuições de sentido dadas às narrativas – que, uma vez distribuídas, passam a ser circulantes e, portanto, passíveis de modificações e adaptações. Cada vez mais, em vista das possibilidades de interação em tempo real alavancadas pelas mídias sociais digitais, as construções, reconstruções e desconstruções de sentido ganham papel preponderante na gestão da comunicação, das crises de imagem e da reputação organizacional.

INTEGRAÇÃO ENTRE ORGANIZAÇÕES-CLIENTES E PRESTADORES DE SERVIÇOS DE COMUNICAÇÃO

Importante fator para a plena realização da comunicação integrada é a relação entre as organizações-clientes e as agências, assessorias e consultorias. A mesma organização-cliente pode ter uma ou várias prestadoras de serviços de comunicação apoiando-a em suas necessidades – do planejamento à execução e mensuração –, e a integração entre essas diferentes frentes de trabalho é um desafio para todos os envolvidos, demandando grandes esforços das equipes que gerenciam e operacionalizam o processo, seja nas organizações-clientes, seja nas prestadoras de serviços de comunicação. Segundo estudo de Anders Gronstedt (1996), tais relacionamentos, quando avaliados pela óptica da comunicação integrada, devem evidenciar vínculos de longo prazo, não só com envolvimento das agências e assessorias em etapas do planejamento, mas também mediante responsabilidade compartilhada; colaboração contínua; visão de parceria; processo decisório consensual; abertura e confiança mútuas; neutralidade na definição do plano de mídia; e orientação para resultados de longo prazo com foco nas prioridades da organização-cliente.

PERSPECTIVAS CONTEMPORÂNEAS DE INTEGRAÇÃO

O século 21 caracteriza-se pela complexidade: preponderância do capitalismo financeiro e informacional; volatilidade dos mercados; aumento das desigualdades sociais; crise ambiental; grandes conflitos geopolíticos que forçam a migração desordenada em várias partes do planeta; precarização do trabalho; protagonismo dos dados, da mídia programática e da publicidade comportamental; e a inteligência artificial, entre tantos outros aspectos que demarcam novo campo de ação para as organizações e, consequentemente, para os comunicadores. Outro aspecto a considerar é a diluição de dualismos como online/offline e real/virtual, o que desafia os profissionais de comunicação a considerar essas definições não com segmentações ou fragmentações, mas de modo complementar.

Brian Smith (2013) parte da abordagem pós-moderna para discutir a integração. Segundo o pesquisador, trata-se de um processo descentralizado influenciado pela variedade organizacional e pela interação entre os membros da organização. Smith (2013) apresenta uma ampla revisão da literatura sobre comunicação integrada; critica a forma majoritariamente funcionalista pela qual o tema tem sido tratado: "Onde os funcionalistas veem regras e um sistema de ações e reações conectadas, os pós-modernistas veem um mundo de relacionamentos complexos e interações incontroladas, atribuindo importância ao processo de construção de sentidos" (p. 66; tradução nossa). Nessa perspectiva, a integração se alimenta das interações, dos relacionamentos, dos conflitos e do dissenso para construir um ambiente de negociações de sentidos que é marcado pela instabilidade. Tal visão desafia a comunicação integrada a assumir contornos mais participativos, mais abertos e mais socialmente engajados.

Também destacamos a abordagem crítica de comunicação integrada. Para Jim Macnamara (2016), "o gerenciamento de relações públicas e comunicação estratégica, como predominantemente praticado, é mais antissocial que social". Ainda segundo aquele autor, os modelos baseados em gerenciamento estratégico e participação da comunicação na coalizão dominante e no ideal de simetria – recorrentes na literatura funcionalista – são formas de poder, promovendo "desintegração em vez de integração das organizações dentro da sociedade e das comunidades em que operam". Portanto, praticar comunicação integrada, nessa perspectiva, é equilibrar interesses organizacionais e da sociedade, gerando mais equidade.

Nesse sentido, partimos da visão explicitada por Mary Parker Follett (2013) sobre integração como *ação* para construir soluções virtuosas. Segundo ela, uma conduta precipita outra e, quando reagimos ao comportamento de outros, provocamos uma resposta circular. Por esse ângulo, construir uma cadeia de acontecimentos positivos exige das organizações efetuar ações que exerçam influência benéfica sobre o conjunto dos atores sociais que com elas interagem. Como destaca Dennis Mumby (2013, p. 94), Follett fala de integração considerando o "processo de *relacionar-se*", e tal processo de interação entre pessoas e ambiente é concebido como algo dinâmico e passível de conflitos. Segundo essa perspectiva, o grande desafio para a integração é encontrar solução para os conflitos sem que as partes se sacrifiquem (ou sem que alguma delas venha a se sacrificar). Entendemos que o maior conflito da comunicação integrada é este: promover a integração como processo de relacionar-se.

Grandes desafios emergem desse processo, que, a nosso ver, deve contemplar quatro abordagens – funcionalista, interpretativa, pós-moderna e crítica – como perspectivas que, a despeito de suas diferenças fundamentais, indicam possíveis caminhos para a pesquisa e a prática no campo da comunicação integrada. Os desafios foram condensados em três grandes eixos (limitados ao escopo deste ensaio, sem nenhuma pretensão generalizadora) e baseiam-se numa leitura crítica do cenário organizacional do século 21. São eles:

COMUNICAÇÃO INTEGRADA E AÇÃO SOCIAL

As organizações atuam em territórios que variam quanto à extensão e à abrangência sociocultural, econômica, linguística, simbólica e tecnológica. Aqui é importante destacar que nos referimos não à ideia puramente de espaço, mas ao território, "espaço apropriado por um ator, sendo definido e delimitado por e a partir de relações de poder, em suas múltiplas dimensões. Cada território é produto da intervenção e do trabalho de um ou mais atores sobre determinado espaço" (Albagli, 2004, p. 26). Ancoradas no mundo social, as organizações transnacionais, multinacionais, nacionais, regionais e locais demandam esforços variados de integração, a depender da complexidade de suas operações e estruturas. A avaliação das vicissitudes referentes a essas variações é fundamental para elaborar, implementar e adaptar ações de comunicação integrada contextualizadas para cada território, levando em conta as peculiaridades impostas pela presença de atores diversos em cada parte do globo. Essa dimensão implica respeitar a diversidade de modos de existir e coexistir e, sobretudo, a comunicação como ação social, e não meramente para cumprir fins sociais.

COMUNICAÇÃO INTEGRADA E AÇÃO INSTITUCIONAL

Hoje a sociedade requer posturas cidadãs das organizações. Responsabilidade social e ambiental, sustentabilidade em sentido lato e integração da diversidade em suas diferentes formas são aspectos a considerar no contexto organizacional do século 21. Essa expectativa produz nova demanda para a comunicação integrada, que, cada vez mais, deverá considerar a necessidade de integrar interesses privados e interesse público ao propor planos, campanhas, ações e mensagens. A relação é complexa: numa era baseada na hiperinformação e na hipercomunicação, as meras construções retóricas não resistem ao escrutínio público, e cabe ao profissional de comunicação avaliar a pertinência e a coerência dos "fatos comunicáveis", selecionando-os com rigor crítico, ético e estético. Segundo Mitsuru Yanaze *et al.* (2007, p. 344), os fatos comunicáveis são "ações ou realizações que sejam merecedoras de menção e de referência" e, para que sejam legítimos, devem estar pautados em ação institucional: "Sem uma ação institucional que gere fatos não haverá o que compartilhar, tornar comum, e, portanto, não haverá razão para se desencadear uma ação de comunicação" (p. 348).

COMUNICAÇÃO INTEGRADA E AÇÃO HUMANA

Um grande desafio para a comunicação do século 21 está na integração como fenômeno humano. À medida que a digitalização avança e a transversalidade da comunicação na vida social contemporânea se institui como fato consumado, a comunicação integrada é confrontada com o próprio sentido de *integrar* e deve renovar práticas, restaurar relacionamentos historicamente fragmentados e incorporar as novidades que surgem continuamente, tomando como pressuposto a inclusão e não a segregação.

Dos sistemas de CRM às mídias sociais digitais, está hoje à disposição dos profissionais de comunicação uma gama variada de ferramentas para monitorar e distribuir mensagens a públicos e indivíduos. A gestão da informação que deriva desse processo é aspecto determinante para o sucesso da comunicação integrada, pois oferece as bases estruturais da comunicação dirigida – um dos grandes diferenciais para o bom plano de comunicação integrada. Por outro lado, essa abundância de informações sobre públicos e indivíduos, cada vez mais acessível às organizações, antecipa-se às interações e ao diálogo, diluindo dissensos que poderiam ser produtivos para organizações, públicos e sociedade. Diante disso, há que se reafirmar a dimensão humana e compreensiva da comunicação como caminho para o confronto produtivo de repertórios e visões de mundo, tendo em mente que a integração acontece no *processo de relacionar-se*.

CONSIDERAÇÕES FINAIS

Há ainda grande oportunidade para aprimorar as discussões e aplicações práticas de comunicação integrada. Defendemos uma visão ampliada do termo, pautada nas possíveis articulações entre a abordagem funcionalista, a interpretativa, a pós-moderna e a crítica, de modo que a comunicação integrada aplicada seja não apenas instrumental, mas também – e sobretudo – sensível às incertezas e mudanças de uma sociedade em permanente transformação. Assim, reiteramos a centralidade do termo *integração* para os estudos e a prática da comunicação integrada.

REFERÊNCIAS

ALBAGLI, Sarita. "Território e territorialidade". In: LAGES, Vinícius; BRAGA, Christiano; MORELLI, Gustavo (orgs.). *Territórios em movimento: cultura e identidade como estratégia de inserção competitiva*. Rio de Janeiro/Brasília: Relume Dumará/Sebrae, 2004. p. 23-69.

Dicionário Houaiss da língua portuguesa. Versão online. Disponível em: <www.houaiss.uol.com.br>. Acesso em 2 de abril de 2021.

DUNCAN, Tom; CAYWOOD, Clarke. "The concept, process, and evolution of integrated marketing communication". In: THORSON, Esther; MOORE, Jeri (eds.). *Integrated communication: synergy of persuasive voices*. Mahwah: Lawrence Erlbaum, 1995, p. 13-34.

FOLLETT, Mary Parker. *Creative experience*. Mansfield Center: Martino, 2013.

GRONSTEDT, Anders. "How agencies can support integrated communications". *Journal of Business Research*, v. 37, 1996, p. 201-6.

HUTTON, James G. "Integrated marketing communications and the evolution of marketing thought". *Journal of Business Research*, v. 37, 1996, p. 155-62.

KOTLER, Philip; MINDAK, William. "Marketing and public relations: should they be partners or rivals?" *Journal of Marketing*, v. 42, n. 4, out. 1978, p. 5-15.

KUNSCH, Margarida M. K. *Planejamento de relações públicas na comunicação integrada*. 3. ed. São Paulo: Summus, 1986.

_____. *Relações públicas e modernidade: novos paradigmas na comunicação organizacional*. 5. ed. São Paulo: Summus, 1997.

_____. *Planejamento de relações públicas na comunicação integrada*. Ed. revista e atualizada. São Paulo: Summus, 2003.

_____. "Planejamento estratégico da comunicação". In: *Gestão estratégica em comunicação organizacional e relações públicas*. 2. ed. São Caetano do Sul: Difusão, 2009, p. 107-23.

_____. "A comunicação nas organizações: dos fluxos lineares às dimensões humana e estratégica". In: KUNSCH, Margarida M. K. (org.). *Comunicação organizacional estratégica: aportes conceituais e aplicados*. São Paulo: Summus, 2016, p. 37-58.

MACNAMARA, Jim. "Socially integrating PR and operationalizing an alternative approach". In: L'ETANG, Jacquie et al. (orgs.). *The Routledge handbook of critical public relations*. Abingdon: Routledge, 2016, p. 335-48.

SMITH, Brian G. "The internal forces of communication integration: co-created meaning, interaction, and postmodernism in strategic integrated communications". *International Journal of Strategic Communication*, v. 7, n. 1, 2013, p. 65-79.

TORP, Simon. "Integrated communications: from one look to normative consistency". *Corporate Communications: An International Journal*, v. 14, n. 2, 2009, p. 190-206.

YANAZE, Mitsuru H. et al. *Gestão de marketing e comunicação: avanços e aplicações*. São Paulo: Saraiva, 2007.

3. COMUNICAÇÃO ORGANIZACIONAL E ESTRATÉGIAS DE (IN)VISIBILIDADE NAS MÍDIAS SOCIAIS

Diego Wander da Silva
Rudimar Baldissera

CONSIDERAÇÕES INTRODUTÓRIAS

O atual contexto caracteriza-se pela ocorrência de vários escândalos das mais diversas ordens. Eles têm sido pauta dos noticiários e constituem muitos dos conteúdos que circulam nas ambiências digitais a respeito de organizações, personalidades, governos e fatos. Além disso, durante um escândalo e/ou crise, mesmo que as percepções anteriores sobre dada organização sejam positivas, o fato de ser associada a tal situação tende, por si só, a gerar significação negativa. De modo geral, quanto mais a organização for o pivô da crise (ou uma das razões geradoras da crise), mais provavelmente os conteúdos que circularem a seu respeito serão perniciosos[1]. Ressaltamos que há casos em que pessoas e organizações se encontram em meio a escândalos e/ou outras crises por conta da circulação de informações parciais, deturpadas ou mesmo falsas. Sobre essas últimas, Liu (2019) assegura que se trata de fenômeno cada vez mais incidente. No Twitter, por exemplo, entre as mensagens aparentemente produzidas por contas autênticas, 31,2% provêm de perfis automatizados.

Assim, ante a circulação de conteúdos negativos a respeito de dada organização (personalidade, governo), em especial nos ambientes digitais, é provável que se acentue o desejo de dissociar-se de tal fato, de entrar em zona de invisibilidade (pelo menos em determinadas situações e

---

[1] Cabe observar aqui que não se trata de defendermos algo ou alguém, mas de descrevermos e refletirmos sobre as tendências de ação em tais situações. Além disso, a crimes deve ser aplicada a lei.

temporalidades), o que tenderá a se traduzir na implementação de ações estratégicas. Cabe ressaltar que, nesses casos, a queda no número de menções e as associações frágeis (ou a não menção e a não associação) constituem um resultado muito importante, pois, em perspectiva imediata, tendem a gerar economia (menores gastos para superar a crise, por exemplo) e, em nível mais complexo, a evitar desgastes de "imagem-conceito"[2] (Baldissera, 2004), de reconhecimento e de legitimidade.

Portanto, para além das estratégias de gestão de visibilidade, é provável que as organizações, sempre que identificarem situações de risco ou o surgimento de pautas que possam ir contra como desejam ser percebidas, materializem estratégias com objetivos de direcionamento de visibilidade, ofuscamento e até invisibilidade. Isto é, quando tais riscos ou pautas tiverem potência para confrontar os sentidos que projetaram e acionaram no âmbito da organização comunicada (Baldissera, 2009), atuarão a fim de mitigar os prováveis impactos. Entretanto, essas estratégias de gestão dos graus de (in)visibilidade constituem-se em problema sempre que o ofuscamento recair sobre alguma questão que seja de interesse público e ferir o direito da sociedade de acessar as informações. Em face disso, refletimos neste texto, de modo sucinto, sobre as noções de visibilidade, invisibilidade e direcionamento ou restrição da visibilidade nas mídias sociais; destacamos estratégias que têm sido empregadas por organizações nas mídias sociais (Da Silva, 2018); e problematizamos algumas delas à luz da noção de interesse público.

COMUNICAÇÃO ORGANIZACIONAL E AMBIÊNCIAS DIGITAIS

Em vista das reflexões que nos propomos aqui, importa destacar que, em nossos estudos, compreendemos comunicação organizacional como

---

2. Imagem-conceito é "um constructo simbólico, complexo e sintetizante, de caráter judicativo/caracterizante e provisório realizada pela alteridade [...] mediante permanentes tensões dialógicas, dialéticas e recursivas, intra e entre uma diversidade de elementos-força, tais como as informações e as percepções sobre a entidade (algo/alguém), o repertório individual/social, as competências, a cultura, o imaginário, o paradigma, a psique, a história e o contexto estruturado" (Baldissera, 2004, p. 278).

"processo de construção e disputa de sentidos no âmbito das relações organizacionais" (Baldissera, 2008, p. 169). Tal concepção exige ir além da comunicação que se restringe ao âmbito das falas autorizadas. Por isso, Baldissera (2009) propõe explicar a comunicação organizacional em três dimensões articuladas: a *organização comunicada*; a *organização comunicante*; e a *organização falada*.

1. Conforme o autor, a *organização comunicada* contempla toda comunicação organizacional que se caracteriza como fala autorizada, em especial – mas não se limitando a ela – a planejada e materializada pelas organizações para dizerem de si (seus princípios, práticas, produtos, serviços, resultados etc.) e realizar seus processos. Nesse sentido, legitimada pela organização, grande parte dessa comunicação é de caráter formal, o que não significa dizer que a fala autorizada não possa se realizar com ares de informalidade.
2. A dimensão *organização comunicante* abrange "todo processo comunicacional que se atualiza quando, de alguma forma e em algum nível, qualquer sujeito (pessoa, público) estabelece relação com a organização" (Baldissera, 2009, p. 118). Portanto, além de abranger a *organização comunicada*, abarca toda a comunicação que se materializa a partir de outras relações diretas que são estabelecidas entre a organização e sujeitos (individuais e coletivos), formal e informalmente, em presença ou com mediação tecnológica.
3. Já a dimensão *organização falada* engloba os processos de comunicação que, não tendo relações diretas com a organização, realizam-se fora de seus espaços (físicos, digitais etc.), mas que dizem respeito a ela (*ibidem*).

Por conseguinte, acreditamos que a comunicação organizacional não se limita a um conjunto de técnicas estrategicamente articuladas com a intenção de comunicar. Reconhecemos a complexidade que entrelaça e constitui o processo comunicativo, atentando especialmente para as interações, os contextos e as significações já construídos, as disputas e as negociações de sentidos entre sujeitos em relação. Dentre outras coisas, isso exige admitir que não há domínio das organizações (apesar de seus desejos e, certamente, de suas tentativas nessa direção) sobre a produção de sentidos realizada pelos diferentes sujeitos a respeito delas (suas iniciativas, concepções, produtos, serviços etc.) e sobre as associações que fazem entre elas e determinados acontecimentos, fatos e/ou ideias.

Como ressaltamos, as ambiências digitais potencializam as possibilidades de comunicação organizacional e, sobretudo, constituem ambientes férteis para que as organizações ganhem mais visibilidade em vista dos posicionamentos desejados. No entanto, essa potência para ampliar a visibilidade, considerando a gramática de tais ambiências e suas especificidades, por vezes cria desafios para as organizações, pois estas podem depressa se perceber publicamente expostas por diferentes razões, nem sempre corretas, justas e/ou éticas. De modo particular – mas não apenas –, é provável que, nessas conjunturas, acionem estratégias político-sociotécnicas para reduzir a visibilidade; para direcioná-la para outras questões; para dar enfoques e enquadramentos específicos; e até mesmo para atender a seus propósitos de invisibilidade.

Assim, se por um lado assumimos a comunicação organizacional em perspectiva que vai muito além das práticas formalizadas de fala autorizada, por outro precisamos ressaltar o fato de que parte desses fluxos multidirecionais pode ser indesejada pelas organizações. É portanto provável que elas empreguem recursos para implementar estratégias com o objetivo de neutralizar, modular ou eliminar tudo o que se contrapuser àquilo que definiram para si. Considerando que a dimensão *organização comunicada*, por pressuposto, atende a suas determinações, as adversidades emergem dos fluxos da *organização comunicante* e da *organização falada* que rompem e tensionam as falas autorizadas.

VISIBILIDADE E INVISIBILIDADE

O desenvolvimento dos meios de comunicação, sobretudo com a disseminação da internet, possibilitou o que Trivinho (2010) descreveu como a "condição glocal de massa" e a "condição glocal interactiva da vida humana", caracterizadas por comportamento nômade e sedentário. Dito de outro modo, os sujeitos conseguem transitar ainda que permaneçam fisicamente no mesmo lugar. Isso impacta, sobretudo, a organização de nossa vida social cotidiana e gera condições para que os materiais simbólicos em circulação tenham indefinido potencial de acesso, dada a gama de interlocutores possíveis (Thompson, 2002). Cria-se, assim, "certo tipo de situação social em que os indivíduos se conectam num processo de comunicação e troca simbólica. Ela cria também diversos tipos de relacionamento interpessoal, vínculos social e intimidade" (Thompson, 2008, p. 19).

Segundo Lasta (2015, p. 56), a "visibilidade midiática transforma o domínio público em fluxos de informações que concorrem pela atenção". Assim, alcançar visibilidade relaciona-se a ocupar o centro da cena no âmbito público e ter êxito nas disputas que, na busca de "holofotes", se estabelecem nesses espaços entre os diversos sujeitos que se apresentam e/ou que são dados a ver. Trivinho (2010) define tal desejo como necessidade compulsiva de aparecer, de modo que os esforços se voltam para projeção de si. Nesse sentido, a condição de existência está vinculada à visibilidade midiática. A sociedade encara a trama em rede e a necessidade de ser visível como "o coração e o pulmão dos contextos de vida" (*ibidem*). Em consequência, a visibilidade na mídia se propõe a ser um "macrocorredor comunicacional" para exposição exacerbada e movimentação sistemática de signos.

Com base em Lasta (2017), ressaltamos que esses ambientes diferem em suas potencialidades e limites, o que tende a incidir nos comportamentos e dinâmicas. A apropriação e o emprego de suas gramáticas, por exemplo, orientam ali não apenas as práticas de sujeitos e organizações, mas também outras formas de experienciar o cotidiano e ofertar sentidos. A autora (*ibidem*, p. 2) assegura que, "por meio da apropriação/uso da arquitetura tecnológica e social das ambiências digitais, as organizações constroem um 'mundo' no qual exteriorizam a si mesmas, projetando os seus próprios significados". Isso vai ao encontro das afirmações de Trivinho (2010) que evidenciam o imperativo da presença midiática e a necessidade de organizações e sujeitos de projetar-se.

Igualmente, a internet se tornou espaço de propulsão para a constituição de grupos (Castells, 2013), de modo que os movimentos sociais passaram a se articular a partir de "redes de indignação e de esperança". Ao mesmo tempo, essa potência para os movimentos sociais tendeu a potencializar os riscos decorrentes da visibilidade, em particular para as organizações que são orientadas por princípios que carecem de legitimidade, com práticas escusas ou ilegais, e/ou para aquelas que oferecem produtos e serviços sem qualidade, pois passaram a ser questionadas, criticadas e até atacadas por esses movimentos. Castells (2013) afirma que, sobretudo a partir das dinâmicas das mídias sociais, a internet fornece os subsídios fundamentais para a mobilização, organização, deliberação, coordenação e decisão. Mais que isso, "cria as condições para uma forma de prática comum que permite a um movimento sem liderança sobreviver, deliberar, coordenar e expandir-se" (p. 167). Não por acaso, as mídias – e agora, de modo especial, as mídias sociais – assumem protagonismo como ambientes em que eclodem escândalos e outras grandes crises, uma vez que ampliam o alcance (a escala) de acontecimentos que, em outros contextos, poderiam não desfrutar da visibilidade que hoje adquirem (Thompson, 2002).

Nesse sentido, "a visibilidade criada pela mídia pode se tornar a fonte de um novo tipo distinto de fragilidade" (Thompson, 2008, p. 28), com potencial de risco. Na mesma linha, Bruno (2004, p. 120) afirma que "os dispositivos eletrônicos de vigilância representam muitas vezes a face negativa e potencialmente perversa da visibilidade, inspirando temores de atentados à privacidade e à liberdade". Então, as organizações experimentam a um só tempo o imperativo da visibilidade – da necessidade de estar visíveis como pressuposto de existência – e a fragilização que a excessiva exposição pública pode causar. Vale lembrar que, segundo Thompson (2008, p. 21), "ver nunca é pura visão, não é uma questão de simplesmente abrir os olhos e captar um objeto ou acontecimento. Ao contrário, o ato de ver é sempre moldado por um espectro mais amplo". Os públicos atribuem sentido àquilo que veem com base em seus lugares político-socioculturais.

Outro aspecto a considerar: a visibilidade não é simplesmente dicotômica em relação à invisibilidade. Ou seja, a redução e a ausência de visibilidade não implicam necessariamente uma condição de invisibilidade, pois precisam ser vistas à luz das características de cada meio e de cada ato. Entre o que está visível e o que está invisível, ocorre amplo leque de graus de ofuscamento. O desejo de restringir a visibilidade pode, por exemplo, sugerir a visibilidade a partir de outros enfoques. Pode, igualmente, envolver a disputa com sentidos visibilizados e publicizados por outros sujeitos. As múltiplas alternativas de mídia carregam um conjunto de características que, dentre outras coisas, exigem ponderações contextualizadas à luz das questões sociotécnicas e políticas.

Essa complexa trama que se atualiza nas mídias sociais, de especial interesse para nossa reflexão, evidencia os altos níveis de indeterminação de produção de sentido sobre as organizações, produção que é realizada pelos públicos com base em seus lugares e na circulação simbólica que ocorre em tais ambientes. O fato é que essa produção se insere em zonas de risco, com amplo potencial para gerar situações desconfortáveis para os objetivos organizacionais. Também é evidente a característica de que são muitas nuances de ofuscamento entre o visível e o invisível, estando cada camada separada por linhas tênues, como se fossem véus – camadas de véus –, gerando um orgânico jogo de graus de transparência e ofuscamento. Nesse sentido, as ambiências digitais, "além de potencializarem a visibilidade do que é exposto e de quem expressa, se constituem em arena de disputas, em lugar de atualização de diferentes relações de poder" (Baldissera, 2014, p. 3). A visibilidade nem sempre se constitui como lugar desejado, como pódio. Ao contrário, pode representar a diluição ou, no limite, a ruína do posicionamento desejado pelas organizações. Diante disso, é provável que desenvolvam formas de permanecer nas "sombras", pelo menos em alguns aspectos e situações.

ESTRATÉGIAS DESENVOLVIDAS PELAS ORGANIZAÇÕES NAS MÍDIAS SOCIAIS

Neste ponto, como forma de melhor evidenciarmos algumas estratégias político-sociotécnicas adotadas pelas organizações para gerir sua (in) visibilidade nas mídias sociais, recorremos aos resultados de pesquisa empírica realizada por Da Silva (2018). Segundo dados coletados em entrevistas com profissionais que atuavam em agências de comunicação digital, as organizações implementam um conjunto de práticas a fim de obter certo "controle" sobre sentidos (in)visibilizados nas mídias sociais, particularmente sobre aqueles que se referem a elas, a seus princípios e práticas e bens que produzem. Para isso, empregam uma série de recursos que atendem a sete diferentes estratégias:

1. A primeira, *monitoramento de situações-problema*, considera o acompanhamento sistemático, nas mídias sociais, tanto das menções diretas e explícitas sobre as organizações como dos debates, embates e expressões dos diferentes sujeitos sobre assuntos que sejam relevantes a essas organizações ou possam incidir nelas e ter correlação com elas. A estratégia de monitoramento estrutura-se no pressuposto de que, quanto mais ágil for a identificação de que algo relevante está circulando nesses espaços, mais rápida e resolutiva poderá ser a atuação das organizações na perspectiva da invisibilidade ou da redução ou direcionamento da visibilidade.

2. A segunda estratégia, *expressão de posicionamento institucional*, compreende os encaminhamentos que objetivam pautar as abordagens sobre um tema, noção ou fato, com base em vieses e enquadramentos que a organização adota. Essa abordagem evidencia que dar visibilidade à versão da organização sobre uma crise pode contribuir para torná-la menos visível ou para influenciar os sentidos que circulam sobre ela nas mídias sociais. Como principais atitudes, estão a apresentação de posicionamento oficial, a agilidade no atendimento às solicitações dos interlocutores e a resolução dessas demandas.

3. A terceira estratégia, *baralhamento de fatos e ênfases para gerar incompreensão sobre um acontecimento*, abrange as ações desenvolvidas na tentativa de direcionar a visibilidade nas mídias sociais para enfoques que não se choquem com os desejos de posicionamento das organizações. O preceito é que, à medida que algo alcança visibilidade,

outros conteúdos e sentidos tendem a se tornar menos relevantes ou menos visíveis. As ações podem ser para desviar o enfoque para pautas positivas; gerar fatos (reais ou falaciosos); promover determinados enfoques a partir de investimento pago; e infiltrar atores organizacionais nas discussões, simulando o comportamento de um interlocutor genuíno. Outras vezes, as organizações podem agir para otimizar a visibilidade desejada nos mecanismos de busca. Diante do exposto, importa atentarmos, mesmo que de modo sucinto, para o fato de que a estratégia de baralhamento pode ser empregada (e é provável que seja) sem o devido comprometimento ético e/ou com exploração da boa vontade dos públicos, entre outras coisas, ferindo o direito deles à informação sempre que se tratar de questões de interesse público. Para exemplificar: numa situação de crise, a organização pode contratar um especialista, sem que isso seja de conhecimento dos públicos, para produzir conteúdo que a beneficie (por um viés que lhe interesse), e investir para que tal conteúdo obtenha relevante visibilidade em mecanismos de busca. Assim, em vez de informar os públicos, procura desviar a atenção para outras pautas que lhes sejam positivas. Já os públicos, além de não receberem as informações que lhes são devidas, tenderão a não perceber aquela ação como estratégia. Mais: dependendo do reconhecimento e da legitimidade do especialista, talvez considerem tal conteúdo a verdade dos fatos.

4   Como quarta estratégia, temos a *desconsideração de associações/menções negativas*, que compreende o conjunto de práticas para desconsiderar as situações-problema nas mídias sociais, ao menos no que se refere à visibilidade de posicionamentos oficiais. Ou seja: em casos específicos, trata-se de não se pronunciar para reduzir os impactos de algo que seja negativo ou tenha esse potencial. Por vezes, há esquiva de pronunciamento e exclusão ou ocultação de comentários e/ou postagens. Outra prática muito comum envolve a condução de conversas para ambientes privados, na tentativa de restringir a visibilidade pública.

5   A quinta estratégia, *restrição da visibilidade a interlocutores desejados*, objetiva limitar a visibilidade a um segmento (ou a segmentos)

de público a fim de invisibilizar algo para os demais interlocutores. Empregam-se técnicas sofisticadas – e disponíveis para as mídias sociais – que permitem atuar na perspectiva da comunicação dirigida, como a captação de contatos por técnicas anônimas e a seleção de segmentos de público com base em seus comportamentos e motivações.

6 A sexta estratégia, *redução do alcance de conteúdos ofertados*, contempla um conjunto de possibilidades: restringir a circulação de conteúdo a um canal (ou a poucos canais); apropriar-se e fazer uso antecipado de mudanças de algoritmia e formatos; explorar conteúdos e horários que tendem a não "performar" bem; não aplicar técnicas de tagueamento (pois contribuem para ampliar a visibilidade); e fazer parecer que algo que está visível aos diferentes públicos é um posicionamento ou uma resposta da organização em situação de crise, quando na realidade, pelo emprego de recursos sociotécnicos, a visibilidade é restrita a públicos específicos, conforme intenção estratégica.

7 Por fim, a sétima estratégia, que consiste no *estabelecimento de políticas*, abarca a criação de diretrizes que, conforme a situação, contribuam para a redução de visibilidade ou para a invisibilidade. Nessa direção, são definidos temas acerca dos quais a organização não se manifesta e/ou não se envolve, bem como orientações sobre a postura desejada dos empregados nas mídias sociais. Tal estratégia tem caráter preventivo.

Nesta altura, cabe observarmos que dificilmente uma estratégia e uma ênfase são adotadas de maneira isolada. Mais provável é que, em cada contexto, as agências e organizações orquestrem o emprego desta ou aquela estratégia ou ênfase (são vários os arranjos possíveis) para ampliar a potência delas. Em face de situações-problema, predomina no primeiro momento (antes de estarem efetivamente estabelecidas essas situações) o monitoramento. É pela efetividade da mitigação dos riscos identificados que se avalia a necessidade de recorrer a alternativas, considerando as intenções de dar visibilidade e/ou de reduzir a visibilidade e, até mesmo, de tornar invisível. Importa ressaltar que o acionamento de uma ou mais dessas estratégias depende do grau do risco diagnosticado; da competência e da possibilidades que organizações e agências têm para se apropriar das estratégias de (in)visibilidade; e de quanto regras de conformidade são importantes a cada organização.

CONSIDERAÇÕES FINAIS

Por mais que estejamos sob o imperativo da visibilidade midiática (sobretudo da perspectiva do senso comum), não podemos em momento algum desconsiderar seu par dialógico, a invisibilidade, nem desatentar do fato de que é possível modular a (in)visibilidade. Essa trama tensa fica ainda mais complexa quando consideramos que se trata de organizações (assessoradas por especialistas – agências de comunicação) interessadas em bem atuar nas mídias sociais ou, conforme destacamos, em sair das regiões de visibilidade, ofuscando sua presença em diferentes graus até, em determinadas situações, o limite da invisibilidade. Os diferentes movimentos e lances estratégicos (conforme apresentamos) consideram análises de cenários e tomadas de decisões sobre o que deve ou não circular, em qual mídia, quando, como e com que intensidade.

Não se reduzem a simples ações, portanto. São práticas estratégicas para avaliar não só os graus de transparência-ofuscamento sobre acontecimentos, concepções, bens e práticas, mas também a circulação de sentidos e disputas sistemáticas, de modo que nada ou pouco se sobreponha aos desejos e às estratégias de negócio das organizações. Conforme ressaltamos, o problema dessas práticas irrompe quando o que sofre ofuscamento é de interesse público, não recebendo a devida publicidade. Dentre outras coisas, o ocultamento de tais informações e/ou a oferta de informações parciais, baralhadas, tende a:

1 gerar ações equivocadas dos públicos;
2 manipular a formação da opinião pública;
3 neutralizar mobilizações e/ou a pressão pública sobre o Estado;
4 acarretar a estruturação de políticas públicas parciais ou equivocadas;
5 gerar mais gastos públicos em termos de vigilância; e

6   traduzir-se em expropriação de poder dos públicos e do Estado em benefício das organizações.

Nesse contexto, quando consideramos as limitações de atenção e vigilância – do poder público, da mídia, da sociedade organizada –, o problema parece agravar-se à medida que as organizações agem para se apossar do poder de tomar tais decisões. Para tanto, as organizações (e agências) valem-se de estratégias político-sociotécnicas. Ou seja, se de um lado há a sofisticação de estratégias e recursos, de outro ocorre a limitação e inadequação de procedimentos para evidenciar e coibir as práticas que contrariam o interesse público. Como dar a ver e monitorar o que não está visível, o que está obscurecido ou em segredo? Que impactos essas estratégias de ofuscamento e de geração de invisibilidade têm sobre a sociedade, o Estado, o bem comum? Sem termos respostas para tais perguntas, ressaltamos que aquelas práticas precisam ser expostas para que a sociedade e o próprio Estado sejam capazes de colocar em ação políticas públicas sofisticadas.

REFERÊNCIAS

BALDISSERA, Rudimar. "Imagem-conceito: anterior à comunicação, um lugar de significação". Tese (doutorado em Comunicação Social). PPGCOM, PUCRS, Porto Alegre, 2004.

_____. "Comunicação e significação na construção da imagem-conceito". *Revista Fronteira*, São Leopoldo, v. 10, n. 3, set.-dez. 2008, p. 193-200. Disponível em: <http://revistas.unisinos.br/index.php/fronteiras/article/view/5397>. Acesso em 27 de abril de 2021.

_____. "Comunicação organizacional na perspectiva da complexidade". *Organicom*, São Paulo, v. 6, n. 10-11, 2009, p. 115-20. Disponível em: <https://www.revistas.usp.br/organicom/article/view/139013>. Acesso em 27 de abril de 2021.

_____. "Comunicação organizacional, tecnologias e vigilância: entre a realização e o sofrimento". *E-Compós*, Brasília, v. 17, n. 2, maio-ago. 2014. Disponível em: <https://www.e-compos.org.br/e-compos/article/view/1043>. Acesso em 27 de abril de 2021.

Bruno, Fernanda. "A obscenidade do cotidiano e a cena comunicacional contemporânea". *Revista Famecos*, v. 11, n. 25, 2004. Disponível em: <https://revistaseletronicas.pucrs.br/ojs/index.php/revistafamecos/article/view/3280>. Acesso em 27 de abril de 2021.

Castells, Manuel. *Redes de indignação e esperança: movimentos sociais na era da internet*. Trad. Carlos Alberto Medeiros. Rio de Janeiro: Zahar, 2013.

Da Silva, Diego Wander. "Comunicação organizacional e as estratégias de invisibilidade e de redução/direcionamento da visibilidade nas mídias sociais". Tese (doutorado em Comunicação e Informação). PPGCOM, UFRGS, Porto Alegre, 2018. Disponível em: <http://www.bibliotecadigital.ufrgs.br/da.php?nrb=001072602&loc=2018&l=4e6a2daa8d0d211f>. Acesso em 27 de abril de 2021.

Lasta, Elisangela. "A *práxis* reflexiva das relações públicas na sociedade midiatizada: mediação estratégica comunicação nos blogs corporativos". Tese (doutorado em Comunicação). PPGCOM, UFSM, Santa Maria, 2015. Disponível em: <https://repositorio.ufsm.br/handle/1/3430>. Acesso em 27 de abril de 2021.

_____. "Estratégias sociotécnicas de visibilidade e legitimidade na comunicação organizacional em rede". In: *Anais do 40º Congresso Brasileiro de Ciências da Comunicação*. Curitiba: Universidade Positivo, 2017, p. 1-15. Disponível em: <https://portalintercom.org.br/anais/nacional2017/resumos/R12-2846-1.pdf>. Acesso em 27 de abril de 2021.

Liu, Xia. "A big data approach to examining social bots on Twitter". *Journal of Services Marketing*, v. 33, n. 4, ago. 2019, p. 369-79.

Thompson, John B. *O escândalo político: poder e visibilidade na era da mídia*. Trad. Pedrinho A. Guareschi. Petrópolis: Vozes, 2002.

_____. "A nova visibilidade". *Matrizes*, São Paulo, v. 1, n. 2, 2008. Disponível em: <https://www.revistas.usp.br/matrizes/article/view/38190>. Acesso em 27 de abril de 2021.

Trivinho, Eugênio. "Visibilidade mediática, melancolia do único e violência invisível na cibercultura: significação social-histórica de um substrato cultural regressivo da sociabilidade em tempo real na civilização mediática avançada". In: *Anais do XIX Encontro Nacional da Compós*, Rio de Janeiro, 2010, p.1-13. Disponível em: <http://compos.com.puc-rio.br/media/gt1_eugenio_trivinho.pdf>. Acesso em 27 de abril de 2021.

II • COMUNICAÇÃO INTERNA CONTEMPORÂNEA

4. COMUNICAÇÃO COM EMPREGADOS EM TEMPOS DE MÍDIAS SOCIAIS

Bruno Carramenha

É DE ATÉ 15 minutos o tempo médio de resposta de empresas muito engajadas no Facebook a uma interação ou reclamação de um consumidor (Facebook, 2019). Quando o tema são trocas pelo WhatsApp, 41% das pessoas afirmam responder de imediato a determinadas mensagens recebidas (Carramenha, Cappellano e Mansi, 2016). São 140 milhões os brasileiros que estão presentes em alguma mídia social (Ribeiro, 2019). E esse tipo de mídia já é a principal fonte de informação da população (Baptista, 2019).

Se você pensa que esses dados nada têm que ver com o título deste capítulo, está enganado. É impossível pensar em comunicação com empregados sem considerar – e considerar efetivamente – o contexto social e o impacto que ele traz para a vida das pessoas e, portanto, para as relações sociais que se estendem, naturalmente, ao contexto das organizações e impactam as relações de trabalho, sejam empresa-trabalhador, sejam trabalhador-trabalhador.

Como preconizam os fundamentos das relações públicas, conhecer e entender os públicos de uma organização é condição fundamental para desenvolver projetos e programas que se pretendem efetivos. Assim precisa ser com a comunicação com empregados. Reconhecer as características dos trabalhadores – interlocutores principais desses processos – passa necessariamente por se dar conta de sua formação de sujeitos para além da organização, ou seja, como se estabelecem suas relações no contexto social, independentemente da organização em que trabalham. No mundo contemporâneo, defende Corrêa (2016), houve um deslocamento da tradicional relação linear emissor-receptor. "As plataformas participativas e colaborativas de mídias sociais abriram um campo de manifestação e expressão para os públicos […]. Multidirecionalidade, equivalência de vozes e autogeração de conteúdo são algumas das posturas decorrentes desse cenário" (Corrêa, 2016, p. 69).

A interação entre ambiente "interno" e "externo" das organizações e as constantes transformações derivadas do desenvolvimento tecnológico sem precedentes que vivemos nas últimas décadas, e que impactam a forma de operar das organizações e de reagir de seus públicos, formam o primeiro dos vieses importantes para entender a atual comunicação com empregados. Para debater as mudanças dessa atividade em tempos de mídias sociais, este capítulo abordará ainda os impactos na gestão de canais e conteúdos corporativos (tradicional tarefa das áreas de comunicação) com base na dinâmica das mídias sociais.

COMUNICAÇÃO DENTRO DE QUÊ?

Sistematicamente, temos questionado a adoção da terminologia "comunicação interna" nas referências à prática da comunicação das organizações com trabalhadores. O termo, apesar de bastante usual tanto no mercado quanto no âmbito acadêmico, nos parece fazer referência a um tipo de comunicação que considera apenas o "lado de dentro" das organizações e, portanto, fecha-se para o contexto social.[1] O desenvolvimento tecnológico que "deu asas à mobilidade" (Cappellano, 2015, p. 41) contribui fortemente para romper as barreiras que separam o "dentro" e o "fora" das organizações.

Segundo Bambini (2013, p. 156), não há mais "separação de trabalho ou não. A grande maioria dos indivíduos continua suas atividades do trabalho em casa, no lazer e até mesmo nas férias. Estar conectado significa estar conectado a tudo, seja no trabalho, seja no lazer, seja no social". Para se ter ideia, 94% dos respondentes em pesquisa recente afirmaram fazer parte de pelo menos um grupo de WhatsApp formado de colegas de trabalho (4CO *apud* Lima, 2019).

---

1. Para uma discussão aprofundada, ver Carramenha, Cappellano e Mansi (2013) e Carramenha (2019c).

Assim, uma das principais características definidoras das transformações sociais contemporâneas – a mudança nas noções de tempo e espaço – delineia-se no contexto das organizações ao "quebrar limites" espaciais (qual é o local de trabalho quando se pode trabalhar de qualquer lugar?) e temporais (qual é o horário de trabalho quando se pode ser acessado com conteúdo de trabalho a qualquer momento?). Está decretado "o fim do laço univitelino empregado-empregador, confinados num mesmo espaço-tempo" (Cappellano, 2015, p. 41).

Também no cerne de nosso questionamento sobre a "comunicação interna" está o fato de o termo deixar de nomear o interlocutor desse processo comunicativo, os empregados (no caso das empresas privadas) ou trabalhadores (de forma genérica). Reconhecer com/entre/para quem a comunicação se estabelece nos permite considerar estratégias que levem em conta as características e demandas do público para além, única e exclusivamente, daquelas da empresa.

Trabalhadores são cidadãos do mundo e interagem "dentro" e "fora" das organizações com base em temáticas de seu interesse e pelos meios de sua conveniência. No contexto das organizações, a interação se dará de maneira análoga à do contexto social tanto quanto o ambiente permitir. Os limites dessa "maleabilidade" podem ser identificados pela cultura da organização, que, conforme define Freitas (2006, p. 97), é um

> conjunto de representações imaginárias sociais que se constroem e reconstroem nas relações cotidianas dentro da organização e que se expressam em termos de valores, normas, significados e interpretações, visando um sentido de direção e unidade, tornando a organizações fonte de identidade e de reconhecimento para seus membros. Assim, através da cultura organizacional se define e transmite o que é importante, qual a maneira apropriada de pensar e agir em relação ao ambiente interno e externo, o que são condutas e comportamentos aceitáveis.

Portanto, sendo o modo particular de integrantes de determinada organização agir e reagir às diversas situações que a rotina apresenta, é a cultura organizacional que determina quanto as empresas estão menos ou mais abertas a integrar ou reproduzir a dinâmica social estabelecida. Isso porque elas desenvolvem "seus próprios sistemas culturais a partir da história e das relações que nelas se realizam ao longo de sua existência" (Carramenha, 2019a, p. 60), razão pela qual estão em níveis de maturidade tão distintos entre si quanto à adoção da lógica das mídias sociais nas práticas de comunicação.

As mídias sociais, por serem ferramentas bidirecionais, valem-se de um aspecto relacional que possibilita estarem "produtor e receptor no mesmo patamar" (Corrêa, 2003, p. 25). Para Terra (2015, p. 115), "o ambiente digital seria o que melhor consegue viabilizar os relacionamentos entre organizações e seus públicos, porque permite diálogo, participação e interações". Cappellano (2015, p. 42) complementa defendendo que as mídias sociais "são responsáveis por uma nova forma não somente de relacionamento, mas também, principalmente, de pensar: mais veloz, em rede, abrangente e colaborativa".

Entretanto, essa noção de interação, colaboração e participação ainda é pouco explorada pelas organizações em termos de prática da comunicação com empregados. Já em 2003, Corrêa chamava atenção para o fato de que as organizações levaram tempo até se dar conta do aspecto interativo das novas tecnologias. Em termos de comunicação com empregados, a prática profissional ainda sofre para encontrar modelos que sejam menos informativo-unidirecionais e mais colaborativos e dialógicos.

Inúmeras organizações, estruturadas em práticas e modelos de outros tempos, assumem uma "postura ditatorial" (Bambini, 2013, p. 157) e rechaçam o uso de mídias sociais por seus trabalhadores em horário comercial, bloqueando acesso a sites e negando senha de *wi-fi* para dispositivos móveis. No entanto, com a queda dos limites temporais e espaciais, os indivíduos estão "trabalhando mais e mais para a empresa, seja no espaço físico da organização, seja em qualquer outro lugar [...]. Como o trabalho invadiu os lares e férias dos funcionários, o social e os amigos virtuais também estão presentes no ambiente físico" (*ibidem*). Esses indivíduos, porém, não encontram na cultura das organizações espaço para se manifestar, interagir e dialogar.

O contexto social contemporâneo cria uma demanda – que chega às organizações por meio do próprio trabalhador – de integrar as práticas corporativas a uma noção mais alinhada à realidade social. Por isso, Dreyer (2017, p. 53) defende ser preciso "levar em consideração as características do indivíduo conectado, isto é, ativo, produtor de conteúdo, protagonista da comunicação e em constante deslocamento, mantendo sua conexão às diversas redes digitais".

Algumas organizações têm se esforçado para aproveitar tais características de forma positiva em ações de comunicação. Com isso, promovem práticas que se estabelecem já considerando os trabalhadores cidadãos do mundo, reconhecendo sua influência externa.

Terra (2017) relata o exemplo da Coca-Cola Brasil, que, no Dia Internacional do Orgulho LGBT, enviou uma latinha de refrigerante aos empregados com a seguinte frase: "Esta Coca é Fanta. E daí?" Isso gerou grande visibilidade, com muita repercussão na imprensa e entre milhares de internautas brasileiros, a partir da influência que os empregados da empresa tiveram nas mídias sociais.

A Alpargatas também realizou ação para os empregados valendo-se da potencialidade de suas influências nas redes sociais "externas". Segundo postagem da empresa no LinkedIn, dez empregados foram selecionados para divulgar em seus perfis pessoais no Instagram o lançamento de novas cores de um tênis da marca Osklen. Os escolhidos receberam um par do modelo, junto com um briefing sobre a marca e o produto, para que criassem postagens utilizando a hashtag da campanha: #OsklenHybridStyle. "Assim como na parceria com qualquer outro influenciador, foram considerados aspectos como qualidade do conteúdo e engajamento para medir o resultado apresentado por cada um deles e selecionar o top influencer do #OsklenHybridStyle", descreve a postagem no LinkedIn.

As ações da Coca-Cola e da Alpargatas ilustram iniciativas de empresas que, atentas ao contexto social, reconhecem o rompimento das barreiras internas e externas e valem-se de práticas de comunicação mais contemporâneas com um público interlocutor importante, os empregados. Para Terra (2017, p. 7), o empregado "é um potencial produtor de informações acerca das organizações e deve ser estimulado, incentivado, preparado adequadamente sobre limites, fronteiras e como pode ser o primeiro embaixador de uma organização, marca, ideia, produto ou serviço".

GESTÃO DE CANAIS

Em tempos de mídia social, o segundo ponto relevante a discutir quanto à comunicação com empregados é a adoção (ou não) de canais tecnológicos no mapa de canais oficiais da organização, seja com base em produtos análogos às ferramentas sociais disponíveis "externamente", seja pelo uso das próprias plataformas (como é o caso do WhatsApp ou de grupos fechados no Facebook para empregados de determinada organização).

Mais uma vez, a cultura organizacional deverá nortear a equipe de comunicação. A depender dessa cultura, "as organizações podem se mostrar mais abertas – ou não – a um processo de reconhecimento e acolhimento da nova dinâmica comunicacional oriunda das tecnologias digitais de informação" (Carramenha, 2019b, p. 46). Trocando em miúdos, não dá para criar uma rede social para empregados se a liderança fomenta um imaginário de que está ocioso quem navega por seu conteúdo; não tem sentido criar um blogue do presidente para "dialogar" com os empregados se o executivo não olha na cara das pessoas no elevador; não dá para esperar interação virtual e colaboração numa comunidade online corporativa se não existe interação nem colaboração legítima nas relações de trabalho no dia a dia.

Corrêa (2016, p. 62) também alerta para as particularidades de cada organização.

> Quando se trata de mundo digital e, especificamente, de comunicação digital, cada organização deve ser tratada como um caso específico, com sua própria cultura, seu comportamento, suas audiências/públicos, suas necessidades e competências de renovação e inovação, além da capacidade de adequação dos amplos desafios da sociedade digital contemporânea àqueles de seu micromundo organizacional.

Para Martinelli (2015, p. 356), a organização cuja cultura "permita mais a comunicação e trânsito de dados entre os diferentes níveis e profissionais pode sair ganhando com recursos a distância". Segundo o autor, os benefícios estão em "gerar novas interações e significados, promover trocas de mensagens em menor tempo e com mais públicos, facilitar a consulta de informações e estimular a colaboração e o espírito de equipe" (*ibidem*, p. 349).

Diversas ferramentas específicas foram desenvolvidas para auxiliar as organizações a implementar redes sociais internas. Nesse mercado, duas soluções que se mostram grandes concorrentes são o Facebook Workplace e o Yammer (Microsoft). Sistemas específicos para a comunicação de organizações com os empregados, ambos têm funcionalidade de rede social, sendo restritos a colaboradores vinculados pelo mesmo domínio de e-mail.

A empresa espanhola Telefónica adotou globalmente o Workplace em 2019, quando a ferramenta passou a não só servir de ambiente para os mais de 120 mil empregados compartilharem histórias reais de atendimento aos clientes, por meio de fotos e vídeos, mas também permitir aos líderes se valerem do recurso de *live stream* para transmitir mensagens (*Computerworld*, 2019). A adoção da ferramenta foi amplamente divulgada pela Telefónica, com repercussão na imprensa, contribuindo, inclusive, para promover a imagem da empresa ao vinculá-la a práticas de vanguarda.

Além das ferramentas de mídias sociais específicas para comunicação com empregados, há organizações que adotam de forma oficial na comunicação institucional ferramentas que não foram desenvolvidas para este fim, mas já estão estabelecidas no contexto social e nas relações pessoais. A Editora Abril, por exemplo, compartilha com os empregados notícias relevantes, em primeira mão, por meio de grupo no WhatsApp, estimulando a disseminação do conteúdo nas redes de contatos pessoais (Terra, 2017). Também adotou aquele aplicativo como via oficial de comunicação com os empregados a Tigre, que, aliás, "trocou os telefones fixos por celulares para os mais de mil empregados administrativos em todos os níveis hierárquicos" (Carramenha, 2019b, p. 47).

A adoção de canais de comunicação que dialogam com as mudanças no perfil do empregado – mudanças oriundas de uma transformação social que tem nas novas tecnologias seu principal propulsor – precisa considerar não apenas a integração da ferramenta ao mix de canais utilizados, mas também, e sobretudo, reconhecer as características fundamentais desses canais para que funcionem adequadamente e sejam relevantes para os empregados. É muito importante que a organização esteja estruturada para lidar com a dinâmica de funcionamento daquelas ferramentas, que podem requerer mais agilidade da equipe de comunicação e a disponibilidade para interagir com empregados e/ou articular temas emergentes com tomadores de decisão na organização.

> O sucesso na implementação de mídias sociais na comunicação interna está diretamente relacionado ao objetivo de seu desenvolvimento: as ferramentas precisam ser projetadas para resolver alguma necessidade de negócio, e não apenas criadas porque é uma tendência global. (Carramenha, Cappellano e Mansi, 2013, p. 102)

CONSIDERAÇÕES FINAIS

No século 21, os empregados têm requerido das organizações respostas diferentes daquelas dadas nas épocas anteriores. Isso tem levado as organizações a rever de forma significativa o jeito de operar e se relacionar com seus trabalhadores, já que grande parte delas ainda se vale de modelos e práticas do século passado – quando não do retrasado.

A demanda de transformações culturais tem sido uma constante nas empresas. Cinco anos atrás, o Google não registrava buscas pelo termo *transformação digital*, que, entretanto, vive grande ascensão nos últimos meses. Entretanto, para além da necessidade de implementar novos sistemas, a transformação digital precisa estar alinhada a uma transformação cultural.

Ainda que os trabalhadores vivenciem como parte de sua realidade social a inevitável ubiquidade das mídias (ou seja, dos meios de comunicação espalhados por todos os lugares), nem sempre a cultura das organizações está apta a adequar-se a essa realidade, o que tende a gerar conflito ou, no mínimo, frustração. O movimento de transformação é possível, mas não está atrelado apenas à adoção de sistemas. As organizações que têm obtido mais sucesso ao integrar as mídias sociais na comunicação com empregados são aquelas que o fazem de modo planejado, alinhado ao contexto de negócios e sustentado pela cultura organizacional (ou por um movimento maior de transformação cultural).

Por fim, é importante mencionar que outra relevante abordagem – que não trouxemos aqui com detalhes, mas pela qual se pode tratar a comunicação com empregados em interface com mídias sociais – é servir "como agente de 'catequização', orientação e educação de que posturas são esperadas pela empresa de seus empregados" (Terra, 2017, p. 4) na atuação pessoal de seus perfis nas redes. A mesma autora defende que se trata de papel importantíssimo a ser desempenhado pela área para "orientar o corpo de colaboradores sobre normas e diretrizes de conduta em mídias sociais" (p. 3). Também nesse caso, reconhecer e respeitar a cultura estabelecida para assegurar sucesso no resultado do trabalho de comunicação é fundamental.

REFERÊNCIAS

Bambini, Simone Ribeiro de Oliveira. "A cultura das redes sociais no corpo empresarial". *Animus – Revista Interamericana de Comunicação Midiática*, v. 12, n. 24, dez. 2013. Disponível em: <https://periodicos.ufsm.br/animus/article/view/7161>. Acesso em 10 de janeiro de 2020.

Baptista, Rodrigo. "Redes sociais influenciam voto de 45% da população, indica pesquisa do DataSenado". Agência Senado, 12 dez. 2019. Disponível em: <https://www12.senado.leg.br/noticias/materias/2019/12/12/redes-sociais--influenciam-voto-de-45-da-populacao-indica-pesquisa-do-datasenado>. Acesso em 10 de janeiro de 2020.

Cappellano, Thatiana. "A incoerência de uma cultura organizacional sólida para empregados líquidos". In: Carramenha, Bruno; Cappellano, Thatiana; Mansi, Viviane (orgs.). *Ensaios sobre comunicação com empregados: múltiplas abordagens para desafios complexos*. Jundiaí: In House, 2015.

CARRAMENHA, Bruno. *Profissionais de comunicação nas empresas: identidades, responsabilidades e conflitos*. Curitiba: Appris, 2019a.

_____. "WhatsApp na comunicação organizacional". In: SCHEID, Daiane; MACHADO, Jones; PÉRSIGO, Patrícia (orgs.). *Tendências em comunicação organizacional: temas emergentes no contexto das organizações*. Santa Maria: UFSM, 2019b.

_____. "Afinal, o que é comunicação com empregados?" *Anais do XIII Congresso Brasileiro Científico de Comunicação Organizacional e de Relações Públicas*. São Paulo: Abrapcorp, 2019c.

CARRAMENHA, Bruno; CAPPELLANO, Thatiana; MANSI, Viviane. *Comunicação com empregados: a comunicação interna sem fronteira*. Jundiaí: In House, 2013.

_____. "WhatsApp e a midiatização da comunicação informal nas organizações". *Temática*, ano XII, n. 1, 2016, p. 49-63.

COMPUTERWORLD. "Telefónica adota ferramenta do Facebook para conectar times". Disponível em: <https://computerworld.com.br/2019/02/13/telefonica--adota-ferramenta-do-facebook-para-conectar-times/>. Acesso em 10 de janeiro de 2020.

CORRÊA, Elizabeth Saad. *Estratégias para a mídia digital: internet, informação e comunicação*. São Paulo: Ed. Senac, 2003.

_____. "A comunicação na sociedade digitalizada: desafios para as organizações contemporâneas". In: KUNSCH, Margarida M. K. *Comunicação organizacional estratégica: aportes conceituais e aplicados*. São Paulo: Summus, 2016, p. 59-76.

DREYER, Bianca Marder. *Relações públicas na contemporaneidade: contexto, modelos e estratégias*. São Paulo: Summus, 2017.

FACEBOOK. "Como faço para minha Página do Facebook obter o selo 'Responde muito rapidamente às mensagens'?", 2019. Disponível em: <https://www.facebook.com/help/475643069256244>. Acesso em 10 de janeiro de 2020.

FREITAS, Maria Ester de. *Cultura organizacional: identidade, sedução e carisma*. 5. ed. Rio de Janeiro: Editora FGV, 2006.

LIMA, Luciana. "O dilema do WhatsApp". *Você RH*, n. 59, 2019.

MARTINELLI, Renato. "Comunicação *mobile*: desafios e reflexões em um ambiente de empregados conectados". In: CARRAMENHA, Bruno; CAPPELLANO, Thatiana; MANSI, Viviane (orgs.). *Ensaios sobre comunicação com empregados: múltiplas abordagens para desafios complexos*. Jundiaí: In House, 2015.

RIBEIRO, Carolina. "Conheça as redes sociais mais usadas no Brasil e no mundo em 2018". *Techtudo*, 2019. Disponível em: <https://www.techtudo.com.br/noticias/

2019/02/conheca-as-redes-sociais-mais-usadas-no-brasil-e-no-mundo-em-2018.ghtml>. Acesso em 10 de janeiro de 2020.

Terra, Carolina Frazon. "Relações públicas na era dos megafones digitais". In: Farias, Luiz Alberto. *Relações públicas estratégicas: técnicas, conceitos e instrumentos*. 2. ed. São Paulo: Summus, 2011, p. 263-84.

_____. "Relacionamentos nas mídias sociais (ou relações públicas digitais): estamos falando da midiatização das relações públicas?" *Organicom*, v. 12, n. 22, 2015, p. 103-17.

_____. "Comunicação interna e mídias sociais: como usar os funcionários conectados a favor da organização". *Anais do 40º Congresso Brasileiro de Ciências da Comunicação*. Curitiba: Intercom, 2017.

_____. "RP digitais: cruciais para a visibilidade e influência das organizações. In: Porém, M. E.; Hidalgo, J.; Yaguache, J. *Inovações em relações públicas e comunicação estratégica*. Aveiro: Ria, 2019.

5. AS NOVAS FRONTEIRAS DA EXPERIÊNCIA DO EMPREGADO

Rodolfo Araújo

O EMPREGADO NO CENTRO

A centralidade do cliente transformou-se em mantra estratégico para a maior parte das organizações, sejam corporações seculares, sejam empresas recém-criadas e sedentas de crescimento rápido.

Consequência do amadurecimento das estruturas capitalistas em função de uma sociedade reticular, a busca do engajamento pulverizado e pessoal é cada vez mais facilitada pela tecnologia digital e por sua influência sobre a ciência de dados. Tornou-se possível conhecer com profundidade cada um de nós em tempo real, o que reverbera também no potencial comunicativo das organizações – saem os públicos, entram os indivíduos.

O cenário competitivo não se pauta apenas pela oferta, atratividade, preço e distribuição de produtos; a batalha entre diferentes marcas é transversal a setores e eleva-se a um patamar de maior complexidade. Cada vez mais, a luta se dá entre narrativas que buscam ocupar espaço relevante na dispersiva atenção de cada indivíduo, já que seu papel para as organizações transcende o consumo e caminha na direção de vínculos criados por afinidade e significado – o que faz sentido para cada qual? É nesse espaço de afetividades que o desafio se ergue.

O movimento das empresas navega a transição de uma tônica antes essencialmente comercial, pautada pela venda, rumo a um perfil mais amplo, em que o resultado é consequência de um relacionamento nutrido por reciprocidade. Se a marca oferece algo de relevante – um conteúdo, produto, serviço ou experiência –, o cidadão retribui em moedas financeiras (comprando algo) ou não financeiras (recomendando, falando bem a seus pares, fortalecendo sua confiança na marca etc.). As organizações procuram, com narrativas e ofertas alinhadas às demandas individuais, ocupar um espaço significativo na vida de cada um.

De acordo com Mary Jo Hatch e Majken Schultz (2008, p. 11), "quanto maior a coerência entre visão, cultura e imagem, mais forte a marca". Isso significa que existem outras variáveis em jogo quando o desafio da centralidade do cliente se apresenta. As autoras falam em visão como um conjunto de significados que podem envolver propósito, missão, valores e, claro, projeções para o futuro; cultura como maneira pela qual as crenças se materializam em rituais, processos, procedimentos e artefatos, entre outros componentes; e, por fim, imagem como nada mais que a percepção de valor resultante de promessa e prática articuladas por marcas autênticas e críveis.

De nada adianta a uma organização propagar um conjunto inspirador de palavras sem que elas se materializem, antes, do ponto de vista endógeno. O único caminho para marcas autênticas se dá pela perspectiva do que é genuíno. A qualidade do que se oferta ao mundo exterior está, portanto, intimamente ligada ao que se vive, ao que se pratica e àquilo em que se acredita dentro da corporação.

De que maneira pode uma empresa notabilizar-se como ética, ágil, sustentável ou inovadora se o discurso não encontra eco prático no âmbito interno? Cedo ou tarde, a radicalização da transparência ganhará o devido vulto e trará à tona o real.

No momento, grande parte do debate público volta-se para a questão do propósito empresarial. É óbvio que transcender o lucro em nome do impacto positivo para a sociedade se tornou mandatório, sobretudo para as grandes organizações globais. No entanto, perde-se de vista a ponte entre tal posicionamento e a entrega de fato para os públicos na forma de iniciativas, produtos e serviços. É exatamente esse o espaço que a cultura preenche.

Ao tomarmos por referência o modelo de Hatch e Schultz (2008, p. 11), a imagem – aqui entendida como valor atribuído pelos públicos à marca – ocorre como experiência correlata à positividade que a cultura exerce. Quanto melhores as interações intraorganizacionais, mais se dão as extraorganizacionais.

É nessa linha que Maylett e Wride (2017, p. 55) moldam o conceito de *employee experience* (Ex), diretamente ligado à *customer experience* (Cx), como "a soma de percepções dos empregados a respeito da interação que mantêm com a organização na qual trabalham". Para os autores, as experiências para os indivíduos exteriormente à empresa serão sustentáveis e terão a mais alta qualidade se assim for, também, a experiência do empregado. "É disto que trata a Ex: criar um ambiente operacional que inspira as pessoas a fazer grandes coisas" (Maylett e Wride, 2017, p. 28).

De acordo com aquela dupla de autores, a matéria-prima de um local de trabalho capaz de proporcionar grandes experiências é o engajamento. Esse fator é visto como "uma necessidade humana fundamental, um poder que reside na maioria das pessoas, apenas esperando para ser liberado. As pessoas querem sentir-se engajadas naquilo que fazem. Se o empregador cria as bases, os empregados cuidam do resto" (*ibidem*, p. 23).

Como condicionantes do engajamento, Maylett e Wride (*ibidem*, p. 33) reforçam que o solo ideal para que se fertilize seja composto de "propósito, cultura, respeito e confiança", tornando a experiência dos clientes um resultado direto das atitudes e dos comportamentos dos empregados.

Assim, para as corporações, há um novo imperativo estratégico que se traduz em resultados tangíveis – tais como maior satisfação dos clientes; crescimento elevado; menos custos com troca e recrutamento de empregados; produtividade acentuada; e, por consequência, lucro mais expressivo. Esse imperativo se aplica tanto à experiência do empregado como à correspondência com o nível de experiência gerado para os clientes.

O que se vê, todavia, é um abismo entre os dois polos. A empresa americana de consultoria Weber Shandwick (2017) investigou, em 19 países, a percepção de empregados sobre a disparidade de discursos e experiências de suas organizações entre o âmbito interno e o externo. Apenas 19% da amostra total afirmou concordar totalmente com a afirmação de que há nexo entre as experiências proporcionadas dentro e fora das marcas em que atuam.

Nas empresas com bom grau de alinhamento entre a experiência do empregado e a do cliente, outros indicadores se mostram positivos de forma correlacionada. A coesão elevada reflete-se em atratividade para profissionais; maior índice de defesa da marca pelos funcionários; melhor nível de permanência dos talentos; e produtividade acentuada.

Tais organizações apresentam outros predicados em comum que se destacam em face daqueles 81% que afirmaram haver prejuízo das experiências internas em função das externas. Propósito claro, valores praticados, liderança ativa e visível, visão de futuro compartilhada e transparência mostram-se variáveis essenciais para as empresas que privilegiam, também, a vivência dos colaboradores.

Richard Barrett (2009, p. 55) enfatiza que a comunicação aberta, o respeito e o reconhecimento mostram-se essenciais para que os funcionários se sintam, de fato, pertencentes a uma grupo. "Ser amigável, acessível e escutar os outros são pré-requisitos para demonstrar cuidado", afirma. "Quando esses fatores estão presentes, a lealdade e a satisfação dos funcionários e clientes são altas."

Por isso, é indubitável que a experiência do empregado transcende a perspectiva funcional da comunicação e vai a outro nível, de foro relacional e estratégico, capaz de criar uma rede sólida de capital social entre os membros da empresa.

FRONTEIRAS DA EXPERIÊNCIA DO EMPREGADO

Afinal, o que é a experiência do empregado? Em primeiro lugar, o termo *experiência* ocupa um espaço de vivência que tem relação com a jornada pelos pontos de contato de uma organização e com o ciclo de vida do profissional em seus domínios. A experiência toca, ainda, o campo das relações e dos afetos e, assim, transcende a esfera meramente quantitativa ou transacional que, por vezes, pauta o universo corporativo.

Se em algum momento o valor oferecido aos recém-contratados se resumia a mesa com computador e telefone, hoje a demanda é muito mais complexa. De acordo com o pesquisador Jacob Morgan (2017, p. 19), é necessário mudar o relacionamento com o trabalho de uma perspectiva físico-material (em que a satisfação declina com o tempo) para um olhar experiencial (cujo potencial de satisfação tende a aumentar).

Novas vivências são o principal elemento buscado pelos profissionais, sobretudo por aqueles com alto nível de repertório, mas também pelo contingente mais jovem à procura de posições. Hoje está generalizada a batalha entre as marcas para atrair, manter e desenvolver excelentes empregados. Se as empresas almejam ocupar um espaço inquestionável no coração e na mente dos consumidores, o mesmo passou a acontecer quando o assunto é disputar talentos. É como se, agora, a lógica do cliente se aplicasse também aos profissionais – que acabam por escolher na gôndola daquelas empresas que de fato se preocupam com isso as melhores para trabalhar.

Em tal contexto, Morgan (2017, p. 22) afirma que há uma mudança de paradigma, passando de "precisar de um trabalho" a "querer um trabalho", movendo as organizações de um prisma utilitarista para o experiencial: "Se o engajamento do empregado é a dose de curto prazo de adrenalina, a experiência do colaborador representa o redesenho de longo prazo da organização" (*ibidem*, p. 6). Na mesma linha, Shane Green (2017, p. 7) assinala: "O que uma empresa pode fazer para manter os melhores talentos? Focar-se na experiência do empregado e criar um ambiente em que os profissionais queiram aparecer, e não necessariamente sejam obrigados a fazê-lo".

Ao fim e ao cabo, a experiência do empregado nada mais é que a soma das percepções derivadas das vivências práticas em sua rotina. Cabe à marca, portanto, estruturar o que oferece a seus profissionais, fazendo-o de maneira consciente e baseada numa visão clara de como deveria ser a experiência de trabalhar na organização.

Nessa linha, Morgan (2017, p. 10) introduz o conceito de *organização experiencial*, que opera "criando uma razão de ser e focando-se no ambiente físico, tecnológico e cultural".

Do ponto de vista da tecnologia, muitos fatores promoverão revoluções na maneira pela qual os indivíduos se relacionam com os empregadores:

mobilidade, inteligência artificial, internet das coisas, automação e *big data* são apenas alguns dos pilares que tendem a moldar a essência dos ambientes de trabalho – que não mais se limitarão a confinar pessoas num espaço físico, mas procurarão agrupá-las numa rede que se aglutine ao redor do mesmo propósito e dos mesmos valores, visão e objetivos.

Portanto, o espectro da cultura transcende o digital e abre outros caminhos e correlações. E, curiosamente, o ponto de partida é de natureza humana, não artificial. Estamos falando sobre propósito, a estrela polar que, nas palavras de Gary Hamel (2007, p. 161), "nos mantém orientados quando tudo ao nosso redor está mudando".

O mesmo ponto de partida é partilhado por Morgan (2017, p. 51), que reforça a necessidade de refletir sobre o impacto da organização no mundo e na comunidade em torno. "Não se trata de valor para o acionista, atendimento ao cliente nem lucros", afirma o pesquisador.

No segundo semestre de 2019, a Business Roundtable – colegiado de CEOs americanos cujas empresas somam aproximadamente US$ 7 trilhões em receita – emitiu comunicado no qual defende que a razão de existir de uma corporação deve suplantar a tarefa de gerar resultados para os acionistas; precisa também gerar impacto positivo e considerar um espectro mais amplo de públicos.

Na literatura sobre estratégia de marca, Kevin Murray (2017) fala do propósito, que não se confunde com missão, posicionamento nem valores. O estatuto próprio do conceito delimitado pelo autor coloca o propósito num patamar que não é operacional e remete, isto sim, à inspiração:

> O propósito não se limita a descrever os produtos e resultados de uma organização, muito menos o público-alvo – ele, na realidade, capta a alma da marca. Uma parte central do propósito se dedica a guiar e inspirar, fornecendo uma grande razão de ser – um sentido compartilhado de "Por que existimos?" (p. 47)

O propósito caracteriza-se como ponto de partida que, isolado, não produz efeito. No entanto, deve materializar-se no dia a dia da organização na forma da cultura, ou seja, em seus rituais, artefatos, processos e tom da liderança, entre outras variáveis. Somente dessa maneira se nota, na prática, o incorporar da razão de ser da empresa no modo de trabalhar, interagir e lidar com problemas, entre outras iniciativas e situações.

Para Murray (2017, p. 31), é importante que a ponte entre propósito e cultura seja bem preparada:

> Ajudar os empregados a entender o propósito e visão da organização e para onde ela se orienta; fazê-los sentir que dão real contribuição para isso; ser visto como local que valoriza o empregado, suas contribuições e perspectivas; promover uma comunicação que permita aos gestores conduzir boas conversas e ser bons ao administrar grandes grupos.

Uma cultura forte é potencializada pelo propósito, que, de sua parte, nutre os profissionais por meio de liderança ativa e visível, gestores engajados e empregados partícipes. Além de instruir e reconhecer, a comunicação desempenha papel fundamental nesse sentido. Ela opera em diversos níveis. Primeiro, traduz o propósito – junto com missão, visão, valores, comportamentos – para o cotidiano de cada indivíduo. Em segundo lugar, informa e dirime dúvidas ou ruídos. Por fim, inspira ao promover protagonismo, reconhecimento, diálogo e reforço do significado norteador da organização. Cabe à comunicação ser uma competência central – e não mera função – para que cumpra esses objetivos com o devido êxito.

Mas uma visão experiencial transcende esse ângulo e considera o profissional ao longo não apenas de seu ciclo de vida na organização, como também de sua jornada em todos os pontos de contato com a marca. Green (2017, p. 21) afirma ser importante "fundir e alinhar os valores com tudo o que se faz na empresa – do processo seletivo, *onboarding* e feedback formal e informal à comunicação e ao desenvolvimento de lideranças". Líderes, aliás, são apontados como "os grandes donos do processo. O setor de recursos humanos deve ser o facilitador, mas não o proprietário" (*ibidem*, p. 2).

PRESSUPOSTOS PARA A EXPERIÊNCIA DO EMPREGADO

A experiência do empregado, portanto, configura-se como determinante para a conexão entre propósito e entrega para os públicos. Ou seja, a experiência dos stakeholders se dá a partir do que o profissional vivencia na organização. O elemento intangível de coesão social entre os empregados é a cultura – que, em geral, representa o que levou a empresa a sobreviver e registrar sucesso até o tempo presente, mesmo que não seja a resposta exata para o futuro.

O panorama de imprevisibilidade que caracteriza uma sociedade reticular e complexa faz as empresas, como agrupamentos sociais, buscarem permanentemente mecanismos de estabilidade em face de turbulências competitivas, tecnológicas, sociais, econômicas ou políticas. De modo paradoxal, o propósito e a cultura tendem a ser variáveis menos mutáveis nesse panorama. Assim, grande parte dos processos adaptativos das corporações – sobretudo das maiores – a disrupções em seus mercados tende a falhar.

Com isso, a experiência do empregado também se dá em terreno instável em termos de perpetuidade da própria organização. E a maneira pela qual as marcas lidam com aquele desconforto não costuma ser a mais adequada:

> A consequência é que boa parte das informações estratégicas de negócio comunicadas pelos supervisores aos funcionários não é, na realidade, absorvida. O medo de mudanças e as preocupações com a manutenção do posto de trabalho predominam nesse tipo de diálogo. (Hiatt e Creasey, 2012, p. 17)

De nada adianta gerir experiências dos empregados se o panorama de transformações organizacionais não é tratado com a mesma deferência e estruturação. "A gestão da mudança fornece uma plataforma organizacional que permite aos indivíduos adotar novos valores, capacidades e comportamentos de modo que os resultados de negócio sejam devidamente alcançados" (*ibidem*, 2012, p. 7).

Gerar valor no ritmo das mudanças contemporâneas é o principal eixo estratégico para as marcas. Tal panorama complexo, acelerado pela tecnologia, recria fronteiras; porém, outra variável essencial – se não a mais importante – são os indivíduos, que se posicionam entre sentimentos antagônicos, estando ora espantados, ora empolgados com a metamorfose do mundo.

Organizações não mudam, nem muito menos áreas ou departamentos mudam, sem que os indivíduos participem de fato do processo de transformação. Para isso, devem ser cativados de forma emocional, gerando engajamento, e racional, evidenciando benefícios concretos para suas carreiras dentro da empresa. Em geral, líderes e gestores estão habituados a comunicar de forma massiva aos funcionários a razão de negócios que justifica as transformações. Dificilmente, porém, endereçam com clareza o impacto na vida de cada profissional.

Num contexto de permanentes transformações, a experiência do empregado deve auxiliá-lo a navegar na insegurança. Para isso, são necessárias algumas competências:

- *Informação*. Permitir ao funcionário tomar ciência do impacto das transformações em sua vida – saber o que está acontecendo, como, por que, com que frequência. A premissa de comunicação reside na abertura e na frequência adequadas, priorizando o diálogo presencial. Estabelecer e celebrar marcos de progresso é outra estratégia de êxito, porque possibilita visualizar o avanço coletivo em direção aos objetivos de negócio. Mesmo navegando no pantanoso terreno da incerteza, é importante jogar luz sobre o conhecido e usar a transparência para evidenciar o que ainda não se sabe.
- *Inclusão*. Gerar participação no planejamento e no processo como um todo, sem sigilos. Engajar as pessoas ao longo da mudança, solicitando ideias e comentários.
- *Apoio*. Fomentar a empatia e a comunicação em mão dupla, gerando diálogo para superar o passado e abraçar o novo. Apoiar também pressupõe usar ferramentas com foco na escuta ativa, bem como celebrar o sucesso passado.

- *Segurança*. É importante falar sobre o que não muda, criando espaços e fóruns para que as pessoas compartilhem medos e ansiedades, gerando ilhas de estabilidade. É também importante reforçar os porquês das mudanças e os motivos pelos quais elas se fazem necessárias, provendo contexto concreto para conquistar a confiança interna.
- *Competências*. Novos tempos exigem novas capacidades. Nesse sentido, apoiar com instrução e aconselhamento é essencial, adaptando treinamentos para os novos repertórios que se impõem e fornecendo mentorias e orientações específicas sobre os desafios enfrentados.
- *Reconhecimento*. Protagonismo e visibilidade são essenciais para que a motivação permaneça e se renove em ambientes de seguidas transformações. Nesse sentido, são cruciais as ações de afirmação e de gratidão junto àqueles que demonstram comportamentos alinhados ao que se espera.

Para gerar vínculos – e por se tratar de processos sobretudo humanos –, as transformações culturais, requerem habilidades interpessoais e comunicacionais de todos os envolvidos. Assim, transparência e diálogo são atributos importantes em todos os níveis da organização, em especial entre os líderes (que devem exercer de forma visível os comportamentos desejados) e na média gerência (elo fundamental entre alta gestão e linha de frente).

A cultura tem vida própria, e apenas uma condução intencional a manterá no caminho certo: deve ser monitorada e revisitada com frequência para garantir que ofereça suporte à estratégia de negócios e ao ambiente de trabalho desejado. Isso é particularmente verdadeiro para empresas em rápido crescimento, com grande fluxo de novos empregados.

Um ambiente cultural se compõe de milhões de ações e escolhas individuais que, quando agregadas, criam normas organizacionais. Por isso, a mudança cultural começa no nível individual. O engajamento direcionado e personalizado – não apenas a comunicação e o treinamento em massa – é o que vai construir crenças e inspirar mudanças de comportamento.

E, como observamos, cultura e marca são simbióticas e devem ser consideradas em conjunto: o que está acontecendo no interior se manifesta externamente, e o que acontece nessa esfera tem impactos internos. O estreito alinhamento entre os dois âmbitos garante uma experiência consistente para funcionários e clientes, fortalecendo a credibilidade da marca.

Estamos diante de um cenário pautado fortemente pelos avanços tecnológicos – no entanto, é o lado humano o que ficará cada vez mais em evidência nesse panorama. Devemos ir além no trato com os indivíduos nas organizações, reconhecendo as novas dinâmicas de produção de sentido, agrupamento social e navegação na complexidade.

Do ponto de vista estratégico, colocar as pessoas no centro costuma estar ligado a atendimento ao cliente. A centralidade do humano, contudo, deve também contemplar a dimensão do profissional. Ele é o indutor da cultura, estabelecendo-se como ponte entre as crenças da organização e o que ela proporciona de fato. Na condição de ator indispensável para a consistência e o alinhamento entre discurso e prática, ele é a chave para manter a percepção de valor da marca em termos de retorno para as finanças, a reputação, a lealdade, a afinidade e a atratividade, entre outros indicadores que devem ser trabalhados com os públicos de interesse.

À luz disso, a gestão do lado humano nas organizações não se limita a uma perspectiva funcionalista nem transacional de comunicação; ela se direciona ao diálogo, ao vínculo e à experiência proporcionada para o empregado. Quanto maior a qualidade dessa vivência, maiores as chances de concretizar o propósito e outros elementos inspiradores da corporação ante suas audiências.

Todavia, cuidar dos indivíduos num ambiente de profundas transformações de contexto requer instrumentos capazes de conduzi-los sob uma visão de mudança que se mostra como processo contínuo, não como projeto com começo, meio e fim determinados. A experiência da empregadora, bem conduzida em meio à volatilidade, amplia a chance de sucesso das experiências externas da marca, elevando o valor percebido e sua atratividade. Por isso, a comunicação e a tecnologia, embora pilares da resposta ao mesmo desafio, não conseguem dar conta da resposta sozinhas – devem ser vistas de outra perspectiva, esta mais ampla, que entenda o lugar das pessoas em arranjos empresariais que se mostrarão, dia após dia, menos parecidos com o que nos acostumamos a conhecer.

REFERÊNCIAS

BARRETT, Richard. *Criando uma organização dirigida por valores*. São Paulo: ProLíbera, 2009.
GREEN, Shane. *Culture hacker*. Hoboken: Wiley, 2017.
HAMEL, Gary. *O futuro da administração*. Trad. Thereza Ferreira Fonseca. Rio de Janeiro: Campus, 2007.
HATCH, Mary Jo; SCHULTZ, Majken. *Taking brand initiative*. San Francisco: Jossey-Bass, 2008.
HIATT, Jeffrey M.; CREASEY, Timothy J. *Change management: the people side of change*. Fort Collins: Prosci, 2012.
MAYLETT, Tracy; WRIDE, Matthew. *The employee experience: how to attract talent, retain top performers, and drive results*. Hoboken: Wiley, 2017.
MORGAN, Jacob. *The employee experience advantage*. Hoboken: Wiley, 2017.
MURRAY, Kevin. *People with purpose*. Londres: Kogan Page, 2017.
WEBER SHANDWICK. "Only 19 percent of employees globally report their experience at work matches their organization's employer brand". 14 nov. 2017. Disponível em <https://www.webershandwick.com/news/only-19-percent-of-employees-globally-report-their-experience-at-work-matches-their-organizations-employer-brand/>. Acesso em 2 de fevereiro de 2020.

6. POR UMA NOVA COMUNICAÇÃO INTERNA: IMPACTOS TECNOLÓGICOS E NOVAS FUNÇÕES[1]

Flávia Apocalypse

O QUE É COMUNICAÇÃO INTERNA? OU O QUE QUEREMOS QUE ELA SEJA?

Para começar, o que é comunicação? Segundo o *Michaelis – Moderno dicionário da língua portuguesa*, é "o ato ou efeito de comunicar-se. Ato que envolve a transmissão e a recepção de mensagens entre o transmissor e o receptor, através da linguagem oral, escrita ou gestual, por meio de sistemas convencionados de signos e símbolos".

Por que iniciarmos este artigo debruçando-nos sobre o significado da palavra *comunicação*? Porque o que vamos abordar é o papel da comunicação dentro de uma empresa nos tempos atuais, o que denominamos *comunicação interna*, e para isso vale ir à origem e pensar no ato mesmo de comunicar. Se estamos falando de comunicação interna, estamos falando da transmissão e recepção de mensagens pertinentes a uma organização. Ou seja, estamos dizendo que o papel básico da comunicação interna é enviar uma mensagem e fazer que o funcionário a receba.

Mas o que queremos na verdade? Queremos apenas disparar um e-mail para os funcionários? Então, em nossos planos ou projetos de trabalho, comunicar seria soltar qualquer mensagem, independentemente do meio, e dizer: "Pronto, comunicamos". Mas sabemos que não é assim. Nada garante que será vista, nada garante que será lida, nem muito menos compreendida.

---

1. Os exemplos mencionados neste artigo correspondem ao período anterior à pandemia de Covid-19.

E o mais importante é pensarmos no momento que estamos vivendo. Estamos todos em meio a uma revolução. Falamos de uma nova era, a digital, que impacta todos os setores. Assim, há de repensar antigas formas de comunicação, há que fazer uso de novas tecnologias para atingir as pessoas. Essa transformação se dá com o uso de novos meios, novos sistemas e fluxos de comunicação, mas não só isso. É um novo modo de pensar, uma nova cultura, uma cultura digital.

Isso fica mais evidente quando olhamos nas empresas para a geração Z, ou seja, para os nascidos entre 1996 e 2010. São os primeiros nativos digitais (DOT, 2020). Esses funcionários consomem informação de modo diferente do que faziam gerações anteriores. Usam, principalmente, smartphones e preferem os conteúdos visuais (como vídeos curtos, fotos e jogos) aos escritos. Têm raciocínio muito menos linear que o das gerações mais antigas e convergem em diferentes plataformas. Como já nasceram digitais, não imaginam um mundo em que não compartilhem informações. Isso já é parte de suas rotinas nas redes sociais.

Com a quantidade de informações que as pessoas geram e recebem todos os dias, competir pela atenção delas ficou muito mais complicado. Para se ter ideia, a cada minuto, enviam-se 188 milhões de e-mails no mundo todo, e assiste-se a 4,5 milhões de vídeos no YouTube (Allaccess, 2019).

Assim, mandar e-mail está longe de garantir o sucesso do processo de comunicação interna. O que queremos? Além de transmitirmos, queremos que a mensagem enviada seja decodificada, seja questionada, tenha resposta, seja entendida, seja assimilada pelo funcionário. Mais: queremos que seja levada adiante. Não é apenas enviando e-mail, pendurando banner nem enviando vídeo do presidente que conseguiremos isso. Queremos mais. E é necessário mais.

É esse *mais* que pretendo explorar aqui. Queremos conseguir ligar os pontos da organização para explicar as coisas como elas são, para que os funcionários entendam o que é a empresa, para onde está indo, seu propósito e missão, para que possam aprender sobre os produtos e a estratégia. E para quê? Para que entendam o que sua função de todo dia tem que ver com tudo isso, para que conectem o que fazem em suas rotinas com o que a companhia faz. Queremos a conexão. E só conseguiremos isso tendo a tecnologia como nossa maior aliada.

Também queremos que os funcionários possam contar o que sabem sobre a empresa no jantar de casa e dizer aos amigos ou nas redes sociais o que é a organização para a qual trabalham. Eles são nossos maiores advogados, porta-vozes extremamente relevantes para a empresa. Prepará-los para se tornarem embaixadores da nossa marca também é o que queremos.

QUAL É NOSSA MISSÃO?

Com todo esse cenário, qual é hoje a missão da área de comunicação interna? Resumindo de forma simples: informar, capacitar, inspirar e engajar os funcionários.

Somos fundamentais para orquestrar um sistema eficaz para que os empregados entendam, participem e se inspirem. Isso de forma colaborativa, com o uso da tecnologia. Quando o funcionário compreende a missão e os rumos da empresa e acredita no propósito e nos valores dela, o engajamento acontece.

Sim, queremos muito o engajamento, essa palavra gasta e desejada por 100% de nossos profissionais de comunicação. O psicólogo social e professor de comportamento organizacional Daniel Cable (2018) explica que o desengajamento é um fenômeno biológico. Segundo o autor, nascemos para explorar, experimentar e aprender – mas, em nossa rotina de trabalho, isso não acontece. Então, esclarece a neurociência, ocorre o desengajamento. Nosso desafio é conseguir esse espírito de experimentação e aprendizado com novos programas e ferramentas.

Reforçando: a comunicação interna já não tem a missão de apenas comunicar internamente os assuntos da empresa. Deixou de produzir somente conteúdo e se tornou uma área que atua na capacitação e que, com o uso da tecnologia, influencia conversas colaborativas entre os funcionários sobre temas estratégicos da empresa.

Como nosso papel agora vai além, o caminho natural é passarmos a ser considerados mais estratégicos pelas demais áreas da companhia, pelos executivos e pelo presidente. Nesse sentido, o que vamos abordar aqui é justamente como cumprimos tal papel e podemos exercer a nova missão de formas diferentes. Vamos falar de fluxos de informação colaborativos, iniciativas e eventos presenciais e virtuais.

Antes de entrarmos nos exemplos de como podemos atuar, vale observar não só o nome da área de comunicação interna nas empresas, mas também onde ela se encontra nas estruturas organizacionais. Na IBM, por exemplo, a área já teve os nomes *workforce enablement* (capacitação da força de trabalho) e *engagement*, entre outros. Isso mostra sua maturação ao longo do tempo.

Em muitas empresas, a área está inserida nos recursos humanos, o que é interessante porque tem conexão forte com o engajamento da força de trabalho e com assuntos específicos do dia a dia do funcionário que devem ser comunicados. Por outro lado, pode criar uma identificação maior com parte do que deve ser informado, e, se acreditamos que uma missão importante em nosso trabalho é explicar a empresa, seus rumos e estratégias, pode ser mais interessante não estarmos inseridos numa área específica.

Em outros casos, ficamos dentro de marketing, o que é extremamente positivo, pois aproveitamos todos os anos de criação do que eles chamam de *experiência do consumidor* para pensarmos em *employee experience*, na jornada do funcionário. Isso entre outras *skills* de marketing, como a análise de dados, em que devemos nos especializar cada vez mais. De outra parte, o marketing, em sua origem, olha para fora. Por isso, corremos o risco de ser considerados uma área menos importante dentro daquela unidade.

A estreita parceria com recursos humanos e marketing é essencial para nosso trabalho, mas defendo e vivo há algum tempo a independência da área de comunicação (no caso, interna e externa), que se reporta diretamente à presidência. Então, para mostrar algumas maneiras pelas quais podemos exercer nossa missão, vou explorar cinco caminhos: curadoria, capacitação, colaboração, estratégia multicanal e autenticidade.

TRABALHAMOS COMO CURADORES

Somos uma área que não é mais a detentora da produção de conteúdo na organização. Temos a missão de atuar como curadores do que os funcionários já produzem, porque eles produzem em seu dia a dia um conteúdo amplo, e esse é um fenômeno novo. Hoje, uma pessoa gasta em média duas horas e meia por dia nas redes sociais (Hootsuite-We Are Social, 2020).

Muitos são apenas espectadores e leitores, mas grande parte é ativa, escreve, colabora, responde, reposta, comenta. Ou seja, produz conteúdo em suas redes sociais. Se isso acontece fora da empresa, por que não aproveitar tal produção internamente? Se em rede social o funcionário posta artigos, comentários sobre hobbies, política, vida pessoal, por que não pode falar sobre o trabalho em redes colaborativas internas? Ou mesmo usar isso em newsletters e demais veículos corporativos? Para tanto, defendemos o uso de redes sociais dentro da empresa, tema que abordaremos mais adiante.

Retomando: deixamos de produzir todo o conteúdo e nos tornamos curadores, buscando as informações já escritas pelos funcionários, juntando o que é semelhante, conectando assuntos e ideias. A missão aqui será filtrar os conteúdos já produzidos, contextualizando e complementando, se for o caso, com informações mais institucionais e dados relevantes.

Podemos estimular e encontrar esses conteúdos nas redes colaborativas internas. Podemos ainda facilitar o processo criando um grupo, um comitê do que podemos chamar de multiplicadores. Ou seja, mapear em vários departamentos da organização pessoas que são influenciadoras, que gostam de contar as histórias da área, que vão além da rotina de trabalho. Para isso, vale também pedir aos líderes das áreas que apontem pessoas com esse perfil. Depois de mapeados, os profissionais de comunicação interna criam um mecanismo de reuniões, presenciais ou virtuais, para levantar uma espécie de pauta dos assuntos que as mais diferentes pessoas podem cobrir. O acompanhamento disso pode ser feito como qualquer ferramenta utilizada hoje, como o Trello, o Slack ou outro semelhante.

Assim, a comunicação interna fica com a missão de fazer curadoria, e não de produzir do zero os conteúdos. Ganhamos tanto na produtividade como na legitimidade. Um texto escrito por um profissional que vive aquela realidade é muito mais verdadeiro do que um escrito pela "empresa".

Mas, para que isso aconteça, temos de ser menos controladores e nos desapegar do texto institucional. Sendo jornalista de profissão e escritora, tenho vícios de edição e gosto de pensar no texto "perfeito", com lead, vários parágrafos, conclusão. Em minha experiência de mais de 20 anos na área, já cometi loucuras como chamar conteúdos produzidos por outras áreas de "veículos piratas", como se o que tivesse valor fosse só o produzido pela área de comunicação interna. Sim, cometemos pequenas loucuras – ainda bem que elas duram pouco e podemos corrigir o curso das coisas.

Fato é que as pessoas não lerão meu longo texto! Mas lerão o que o Joaquim escreve sobre o produto novo que sua área acaba de lançar, saberão o que houve nos bastidores, quem estava envolvido e o porquê do prêmio ganho pelo Joaquim ao final do projeto. Tudo pela visão do próprio Joaquim, que estava lá, que viveu aquilo. Lerão também o que a Maria vai escrever sobre o primeiro dia como estagiária e como o curso de boas--vindas foi essencial para não se sentir perdida com tantas siglas e anglicismos. Isso vai valer mais do que uma "quase propaganda" interna sobre alguns cursos em nossos veículos internos.

Quando pensamos não serem mais necessários nem textos longos para comunicar, nem a perfeição exigida de antes, pensamos também na formação dos profissionais da área. Até algum tempo, para mim, era inimaginável ter outros profissionais além de jornalistas na equipe. Hoje, com nossa missão ampliada, outras formações e especializações podem interessar mais, como psicologia, análise de dados, administração, antropologia etc.

TRABALHAMOS PARA CAPACITAR

É claro que outras áreas da companhia também têm essa missão. Mas, se concordamos em que nosso papel é fazer que o funcionário entenda que empresa é essa para a qual ele trabalha, não o faremos apenas com comunicação, ou seja, apenas com mensagens em textos e banners.

Precisamos criar uma forma pela qual o funcionário compreenda a estratégia da empresa, conheça o negócio, os concorrentes, os clientes. Há vários caminhos para fazer isso. Podemos apostar numa dobradinha de presencial e virtual, mas com uma curadoria ampla, para que não fique enfadonho. Na IBM, há um evento chamado Strategy Day, que acontece duas vezes por ano. Numa companhia global e complexa, muitos funcionários têm dúvidas sobre nossos negócios e têm dificuldade de conectar o que as áreas fazem com as prioridades da empresa.

É um evento pensado para que se possa realmente mergulhar na estratégia da IBM. Para não ficar cansativo, o Strategy Day é composto de apresentações (no formato TED Talks) sobre os principais temas que compõem a estratégia da IBM, com no máximo 20 minutos cada uma. Além disso, dedicam-se 10 minutos para perguntas e respostas, pois é essencial ter esse tempo para manter um diálogo e sanar dúvidas. (Para as perguntas que não há como satisfazer ali, as respostas são disponibilizadas em uma rede social colaborativa.) Os apresentadores são os próprios executivos e funcionários, com a presença ainda de clientes, que abordam casos de sucesso, e de especialistas de mercado. Importante observar que é a comunicação interna que faz toda a curadoria de conteúdo para que ele fique didático e atenda a seus objetivos. Todo funcionário pode se inscrever e participar das apresentações em que tem mais interesse. Este tipo de evento pode ser presencial com transmissão ou até mesmo 100% digital. E isso faz diferença. Usa-se a tecnologia como aliada para transmitir o conteúdo. Quem está assistindo remotamente interage também, com perguntas. Assim, garante-se a participação de mais de 3 mil pessoas, em média, e índice de satisfação altíssimo.

Para que se aproveite todo o rico conteúdo produzido, as apresentações são gravadas na íntegra, de modo que os funcionários possam assistir depois. Há também os chamados Strategy Minutes: gravam-se dois minutos de mensagens com cada apresentador, para ser uma pílula de conhecimento sobre o assunto. Desse modo, se não há tempo para um mergulho lento no conteúdo todo, é possível ao menos despertar o interesse ouvindo aqueles poucos minutos. E tudo isso é colocado em uma plataforma de *learning*. A geração Z, de nossos funcionários nativos digitais, prefere mesmo consumir informação em pequenas doses. Processam informações cada vez mais rápido, e, segundo o estudo do DOT (2018), o *microlearning* é a estratégia ideal para eles, pois podem consumir conteúdos como pílulas de conhecimento.

Também para ajudar os funcionários a entender melhor os negócios, é possível criar eventos mais curtos. Na IBM, viabilizamos o Fala Aí, série educativa que é 100% virtual, por Webex. No evento, com duração de uma hora, há apresentação do tema por 40 minutos, e depois os funcionários têm 20 minutos para interagir com os palestrantes, por chat. É a tecnologia ajudando os funcionários a tornar simples o complexo e oferecendo recursos para que eles possam, cada vez mais, compartilhar com sua rede de influência o que a empresa faz.

Muitas vezes, é preciso mostrar mais do que contar. Então criamos experiências para que os funcionários "sintam", "toquem", "vejam" o que a empresa faz. Em algumas ações, para que os funcionários tangibilizem o que ela realiza, vale fazer uma espécie de exposição com produtos e soluções, em que especialistas contam detalhes e explicam o funcionamento aos colaboradores, de maneira que estes tirem dúvidas e entendam os detalhes do que a empresa oferece ou vende.

TRABALHAMOS PARA QUE OS FUNCIONÁRIOS COLABOREM

Com o avanço da tecnologia e das redes sociais digitais, surge uma forma nova de compartilhar informações, conversar e se relacionar nas empresas: as redes sociais colaborativas. Fora, as pessoas já usam redes sociais o tempo todo; trocam ideias, dão *likes*, comentam e respondem. É assim que se vive hoje. Então, dentro da empresa, é impossível seguirmos apenas jogando comunicação, empurrando eventos e pendurando banners. As pessoas precisam falar, perguntar, ser ouvidas e obter respostas.

Não estamos falando de mais uma ferramenta de comunicação, mas da rede social como o meio principal a partir do qual todos os fluxos vão acontecer. Por exemplo, todas as informações da empresa podem estar ali, com espaço para comentários e perguntas. Estando elas concentradas num único local, é possível integrar áreas, proporcionando formas de se relacionarem e, claro, fomentar a conversa.

Na IBM, por exemplo, há muitas comunidades online, e qualquer funcionário pode publicar conteúdo, postar vídeos e comentários. Estamos falando de uma comunicação interna não controladora, que realmente permita a colaboração e o diálogo, pois entendemos que nosso papel fundamental é ouvir, trocar. É uma via de mão dupla.

A rede social corporativa facilita esse diálogo e dá voz a cada funcionário, independentemente da área ou cargo. E o ideal é conseguir esse diálogo com os líderes, presidentes, diretores de RH e executivos da companhia. Mas como fazer isso? Criando esse ambiente virtual com blogues internos, com as pessoas abertas para qualquer interação.

De acordo com pesquisa anual de confiança e credibilidade da Edelman (2019), o índice de confiança no empregador está acima daquele depositado nas empresas, ONGs, na mídia e no governo. Ou seja, ter uma forma de propiciar conversa entre o presidente e os funcionários pode ser muito efetivo. Em inúmeras empresas, os presidentes já mandam mensagens falando de resultados, anunciando mudanças, expondo objetivos anuais etc. E se nós, em vez de só falar, abrirmos espaço para a interação, para uma troca, para perguntas e respostas? Isso possibilita clareza, abertura e entendimento. As empresas já estão seguindo pelo caminho das plataformas colaborativas e investindo cada vez mais na comunicação interna. É uma evolução, se comparamos com investimentos de anos anteriores.

Vale dizer que tudo depende da cultura da organização. Se a empresa tem uma cultura em que os funcionários receiam expor sua opinião em público com medo de o chefe não gostar, eles não vão fazer isso em rede social interna. Nesse caso, há muito trabalho a fazer no ambiente real e offline. Isso deixa evidente um dos grandes desafios da comunicação interna, que não tem nada a ver com tecnologia: como preparar os líderes para se comunicar melhor. Para que conversem com suas equipes de maneira mais assídua, transparente e relevante, fomentando uma cultura de parceria e entendimento.

TRABALHAMOS DE FORMA MULTICANAL

Não dá para apostar numa só forma de comunicar. Numa empresa, convivem diferentes gerações, diferentes visões, diferentes áreas de atuação. Por isso, defendemos o uso de pesquisas internas para entender como as pessoas querem ser comunicadas ou capacitadas.

O tema das métricas em comunicação interna daria outro livro. Sabemos quanto é relevante e, por isso, precisamos ser obcecados por ouvir, não só para termos insights sobre os veículos e formas de comunicação que adotamos, mas também para receber os feedbacks e sugestões de melhoria depois de cada ação realizada.

E o que ouvimos é que as preferências mudam: uns preferem a newsletter; outros, a TV Corporativa pelos andares; outros, os eventos presenciais; e outros ainda, um aplicativo. Na minha visão, é preciso adotar uma estratégia multicanais, com mix de veículos e formas, com múltiplos meios de interlocução, para tocar o máximo de funcionários em sua jornada na empresa. Isso é feito por meio de canais de comunicação convencionais e digitais.

É claro que, para isso, precisamos ter um planejamento para cada meio, a fim de aproveitar melhor as características de cada canal, inclusive com uma linguagem que pode ser diferente. A mesma informação pode ser veiculada na newsletter, num texto com declarações do presidente, e a TV pode transmiti-la num meme, por exemplo.

TRABALHAMOS PELA AUTENTICIDADE

Trabalhamos para que as pessoas expressem quem elas são, contem suas histórias e sejam autênticas. No poema "A vida bate", Ferreira Gullar (2018) diz:

> *Vista do alto, com seus bairros e ruas e avenidas, a cidade/ é o refúgio do homem, pertence a todos e a ninguém. Mas vista/ de perto,/ revela o seu túrbido presente [...], as/ pessoas que vão e vêm/ que entram e saem, que passam/ sem rir [...]. Onde/*

Carolina Terra, Bianca Marder Dreyer e João Francisco Raposo (orgs.)

> *escondeste a vida/ que em teu olhar se apaga mal se acende?/ [...] Mas, dentro, no coração,/ eu sei,/ a vida bate. [...].*

A vida bate, claro, dentro de cada pessoa, de cada funcionário, mas às vezes nos esquecemos disso, por mais que tal absurdo nos pareça curioso ao nos darmos conta dele. O que fazemos é ver a empresa do alto, como vemos as cidades de cima. Enxergamos apenas uma grande engrenagem. Mas as pessoas querem ser vistas em sua individualidade, querem compartilhar sua visão e mostrar que são muito mais do que o Antônio do departamento de Compras, o Francisco do Jurídico ou a Mariana do Marketing.

Outro ponto interessante é que, muitas vezes, precisamos mostrar nossa vulnerabilidade, inclusive no trabalho. Para termos coragem, é necessário admitir que somos vulneráveis. A assistente social americana Brené Brown, professora e pesquisadora da Universidade de Houston, fala justamente disso na TED Talk "O poder da vulnerabilidade", que está entre as cinco mais vistas no mundo (Brown, 2010).

Bom, você pode estar pensando: e o que a comunicação interna tem que ver com tudo isso? Entendendo a relevância para a organização, podemos propiciar momentos e ações para permitir aquela autenticidade. Na IBM, criamos um evento para inspirar chamado Love Day, realizado em 2019, que teve edições em São Paulo, Rio de Janeiro e Campinas. O nome foi escolhido propositalmente, para dissociar o evento de qualquer tema de negócios. Aproveitando a diversidade dos funcionários e a maneira como todos são encorajados a ser quem verdadeiramente são tanto dentro como fora da empresa, pedimos e recebemos diferentes e emocionantes relatos de transformação, superação e resiliência. Selecionamos quatro funcionários para compartilhar suas histórias pessoais em cada local. Afinal, o trabalho não é um mundo paralelo. Ele é a vida real, e as pessoas sentem-se orgulhosas de ser vistas como indivíduos. E se conectam umas às outras.

No Love Day, cerca de 100 funcionários se emocionam durante duas horas com exemplos que levam para a vida pessoal e profissional. Eles compartilham percepções e, assim como os palestrantes, percebem a empresa também como laço que os une. Sabemos que o fato de se darem conta de que estão numa companhia que os reconhece como pessoas proporciona mesmo o engajamento. Uma das pessoas que participaram do evento disse: "É importante mostrar quem realmente somos: a vulnerabilidade de um cura a dor do outro".

Há várias formas de funcionários darem suas visões e contarem suas histórias, expressando quem são. Em grandes celebrações – o aniversário da empresa, por exemplo –, podemos nos valer disso. Tivemos uma experiência relativamente recente, o centenário da IBM Brasil, ocorrido em 2017. Meses antes do início do ano do centenário, reunimos funcionários de diferentes áreas, gerações e regiões do país, com cargos e missões distintos, para definirmos juntos, em dezenas de sessões de *design thinking*, o que fazer para celebrar aquele marco. O que saiu de mais evidente das discussões foi que queríamos contar nossa história de 100 anos não de forma institucional, mas mostrando o protagonismo dos funcionários, com suas histórias, seus relatos, suas lembranças. Fizemos isso de diversas formas e nos valemos de rede social interna, ferramentas colaborativas e ações presenciais.

CONSIDERAÇÕES FINAIS

Vale reiterar que algumas ideias e experiências que dividi aqui foram vividas na IBM, com uma cultura muito peculiar, em que todos os funcionários têm computador pessoal e estação de trabalho e as mídias sociais são liberadas para uso tanto interno quanto externo. A empresa incentiva as pessoas a discutir suas ideias e jogá-las das mais diferentes maneiras. Por ser uma empresa de tecnologia, a transformação e a colaboração estão em seu DNA. Toda empresa tem suas características e peculiaridades. Estão em segmentos diferentes e passam por momentos diversos. O que não podemos negar é que os funcionários, independentemente da indústria, setor ou cargo, querem dialogar, colaborar, produzir conteúdo.

O polonês Zygmunt Bauman (1925-1917), um dos mais importantes sociólogos da atualidade, afirmou que o momento que vivemos é uma modernidade líquida, em que as instituições, as ideias e as relações estabelecidas entre as pessoas se transformam de maneira muito rápida e imprevisível (Bauman, 2001). Antes, tudo se modificava em ritmo lento e previsível. Tínhamos assim a sensação de total controle sobre o mundo. Com o surgimento de fenômenos como as novas tecnologias e a globalização, as coisas não são mais daquele jeito.

Temos de seguir nos transformando em meio a tantas mudanças e incertezas. É preciso seguir transformando também a área em que atuamos, reavaliando nossas missões na comunicação interna. Há algo importante e imutável: saber que o mais valioso não é a comunicação da empresa para os funcionários, mas a comunicação na empresa entre as pessoas. É isso o que produzirá significado, levará os projetos ao sucesso, trará resultados e comprometimento. É a conexão entre as pessoas o que vale mais. E o que nunca deixará de ser essencial é a comunicação direta, cara a cara, olho no olho. Isso transforma. Assim, as pessoas podem se sentir ouvidas e ter conversas que levem a ideias e inovação.

Essencial também é fazer que elas tenham a estratégia da empresa na cabeça e sintam, na alma e no coração, o propósito da companhia. O que queremos mesmo é que, ao fim e ao cabo, os funcionários gostem de estar ali, explorem, aprendam, façam o seu melhor por entenderem o que estão fazendo, sendo autênticos, dialogando, expressando-se. E que, numa segunda de manhã, haja mais contentamento do que sofrimento.

No poema "Difícil ser funcionário", João Cabral de Melo Neto (1996) fala sobre a dificuldade de encarar uma segunda-feira no trabalho: "É a dor das coisas, o luto desta mesa". Se, com a comunicação interna, formos capazes de diminuir ou ajudar a evitar essa sensação de não pertencimento e contribuir, de alguma forma, para uma força de trabalho inspirada e mais engajada, já teremos exercido bem nossa nova missão.

REFERÊNCIAS

ALLACCESS. "2019: this is what happens in an internet minute". Disponível em: <https://www.allaccess.com/merge/archive/29580/2019-this-is-what-happens-in-an-internet-minute>. Acesso em 7 de abril de 2020.

BAUMAN, Zygmunt. *Modernidade líquida*. Trad. Plínio Dentzien. Rio de Janeiro: Zahar, 2001.

BROWN, Brené. "The power of vulnerability". TED Talks, 2010. Disponível em: <https://www.youtube.com/watch?v=X4Qm9cGRub0>. Acesso em 5 de setembro de 2019.

CABLE, Daniel. *Alive at work: the neuroscience of helping your people love what they do*. Brighton, Boston, MA: Harvard Business Review Press, 2018.

DOT (Digital Group). "As gerações e suas formas de aprender". 17 mar. 2018. Disponível em: <https://dotgroup.com.br/pt/ebook/e-book-as-geracoes-e-suas-formas-de-aprender>. Acesso em 7 de abril de 2020.

EDELMAN. "Edelman Trust Barometer 2019". 28 mar. 2019. Disponível em: <https://www.edelman.com.br/estudos/trust-barometer-2019>. Acesso em 8 de abril de 2020.

FERREIRA GULLAR. "A vida bate". In: FERREIRA GULLAR. *Dentro da noite veloz*. São Paulo: Companhia das Letras, 2018.

HOOTSUITE-WE ARE SOCIAL. "Digital 2020 – Global digital overview". Disponível em: <https://wearesocial.com/digital-2020>. Acesso em 7 de abril de 2020.

MELO NETO, João Cabral de. "Difícil ser funcionário". In: *Cadernos de Literatura Brasileira*, v. 1, n. 1. São Paulo: Instituto Moreira Salles, 1996.

MICHAELIS. "Comunicação". Disponível em: <https://michaelis.uol.com.br/moderno-portugues/busca/portugues-brasileiro/comunicacao/> Acesso em 5 de setembro de 2019.

III • PÚBLICOS, AUDIÊNCIAS, DADOS E IMPACTOS

7. PÚBLICOS, PLATAFORMAS E ALGORITMOS: TENSÕES E VULNERABILIDADES NA SOCIEDADE CONTEMPORÂNEA

Daniel Reis Silva

IDENTIFICANDO UM CENÁRIO PROBLEMÁTICO

O desenvolvimento da internet e das tecnologias digitais de comunicação foi acompanhado, em especial durante a década de 2000 e a primeira metade da década de 2010, por uma promessa essencialmente democrática e otimista no que tange aos públicos. Tratava-se da ideia do rompimento das barreiras de emissão e do surgimento de uma cultura da participação, na qual teríamos cidadãos trocando opiniões e juntando forças para formar públicos cada vez mais conscientes de suas realidades.

Esses novos públicos, devidamente empoderados pelo diálogo e pelas trocas argumentativas em ambientes digitais, seriam capazes de formar uma inteligência coletiva que desafiaria as amarras de um sistema capitalista de mídia e as assimetrias decorrentes do fortalecimento de grandes corporações. Tais agrupamentos atuariam de forma inédita e direta na defesa dos próprios interesses, tornando públicas suas experiências, ampliando os *checks and balances*[1] tanto para os atores estatais quanto para organizações privadas que porventura cometessem abusos. Nesse clima positivo, aqueles "novos públicos" eram celebrados e apontados em campanhas de *crowdfunding*[2] para lançar produções artísticas ditas alternativas, que despertavam pouco interesse da indústria cultural; em iniciativas de participação e deliberação de políticas digitais; e em eventuais esforços difusos,

---
1. A ideia de *checks and balance* diz respeito aos freios e contrapesos presentes em dado sistema que, para evitar abusos de poder, visam criar processos e dinâmicas de controle e vigilância.
2. Processos de financiamento coletivo, orientados por plataformas digitais como o Kickstarter e o Catarse.

materializados na forma de hashtags e boicotes, para expor empresas pegas em flagrante deslize contra determinados interesses sociais compartilhados. Esse último aspecto, em particular, acabou sendo bastante incorporado no pensamento de comunicação organizacional digital, com base na ideia de que os públicos estariam cada vez mais colocando sob suspeição as estratégias de tais grupos, para obrigá-los a uma virada ética e transparente em sua comunicação.

Nos últimos anos, porém, a fragilidade estrutural daquela promessa foi se tornando cada vez mais nítida, em especial pela forma relativamente ingênua com que ela encara os ambientes digitais. Nesse sentido, o principal problema reside no tratamento das mídias sociais digitais por um viés de neutralidade, como se aqueles espaços fossem agnósticos, desprovidos das tensões e assimetrias de poder que marcam a sociedade. Ante discussões cada vez mais urgentes sobre a hierarquização de conteúdos nos feeds das diferentes plataformas, os filtros e algoritmos que ditam a visibilidade e invisibilidade de atores e informações e o potencial uso de dados pessoais para o direcionamento de notícias (falsas ou não), mostra-se limitada e inadequada uma visão que toma tal ambiente como mera ferramenta com elevado potencial cívico, exigindo de pesquisadores renovados esforços reflexivos capazes de ampliar o entendimento sobre o mundo atual.

Nesta altura, é importante ressaltar que o objetivo do presente texto não é catalogar nem discutir as múltiplas visões conflitantes acerca das mídias sociais digitais, tema de férteis vertentes teóricas que ganham cada vez mais força e requinte. Com intuito mais modesto e direcionado, a opção é circunscrever a discussão adotando como ponto de partida os apontamentos derivados de uma vertente crítica sobre a internet que está centrada na ideia de plataforma (Helmond, 2015; Gillespie, 2017; Van Dijck, Poell e De Wall, 2018). Em suma, acredito que refletir sobre as ideias apresentadas por tais autores ajuda a desvelar vulnerabilidades que perpassam os processos de formação e movimentação dos públicos no mundo contemporâneo – de maneira a tornar visíveis, nos campos acadêmicos de comunicação organizacional e relações públicas, as limitações que decorrem de uma visão superficial sobre tais agrupamentos em ambientes digitais.

Comunicação organizacional

No cerne da lógica proposta por essa vertente teórica está a ideia de plataforma, descrita por Van Dijck, Poell e De Waal (2018, p. 9; tradução nossa) como algo "alimentado por dados; automatizado e organizado por meio de algoritmos e interfaces; formalizado com base nas relações de propriedade orientadas por modelos de negócios; e regido por acordos com usuários". Mais do que adotar uma visão unicamente econômica ou tecnológica, aquelas autoras formulam uma ideia de mundo conectado em que "as plataformas penetraram no coração das sociedades – afetando instituições, transações econômicas e práticas sociais e culturais" (*ibidem*, p. 2). *Sociedade da plataforma* é o termo que elas escolhem para ressaltar as relações entre plataformas online e estruturas sociais, reforçando a reflexividade entre esses dois aspectos.

A adoção das plataformas como elemento central do mundo contemporâneo aponta para uma abordagem investigativa crítica, porque versa sobre a importância de entendermos "as *affordances*[3] tecnológicas das plataformas em sua relação com os aspectos políticos, econômicos e sociais" (Helmond, 2015, p. 2; tradução nossa). Nesse sentido, é fundamental reconhecer que as plataformas acabam configurando um ecossistema que, conforme Van Dijck, Poell e De Wall (2018, p. 12; tradução nossa), é permeado de paradoxos, na medida em que

> parece igualitário, mas é hierárquico; é quase inteiramente corporativo, mas aparenta servir o interesse público; parece neutro e agnóstico, mas sua arquitetura carrega um conjunto particular de valores ideológicos; seus efeitos aparentam ser locais, ao passo que seu escopo e seu impacto são globais; parece substituir noções de *top-down* e *big government* com ideias de *bottom up* e "empoderamento dos consumidores", mas o faz de uma estrutura extremamente centralizada que permanece opaca para os usuários.

---

3. De maneira ampla, a ideia de *affordances* diz respeito a como as propriedades e arquiteturas de determinado material (uma plataforma online, por exemplo) balizam as ações dos usuários.

Carolina Terra, Bianca Marder Dreyer e João Francisco Raposo (orgs.)

É esse cenário intricado de contradições, no qual múltiplos fatores estão em permanente disputa e tensão, que me instiga a revisitar a ideia de públicos, refletindo sobre como a anatomia das plataformas traz implicações diversas, e por vezes incertas, para os processos de formação e movimentação desses coletivos sociais, desvelando vulnerabilidades. Tal perspectiva implica abdicar de pressupostos e julgamentos totalizantes acerca dos públicos, de maneira a evitar posicionamentos genéricos de mero otimismo ou pessimismo. Ao contrário, a aposta é em direcionar o olhar para aspectos específicos dessa sociedade da plataforma, tentando desvelar como diferentes partes do ecossistema moderno impactam os públicos.

A proposta aqui apresentada deve muito aos esforços de Van Dijck, Poell e De Waal no livro *The platform society: public values in a connective world* (2018). Naquele trabalho, as autoras realizam estudos específicos voltados para identificar como determinados valores públicos são disputados e tensionados dentro das lógicas de uma sociedade de plataformas – destacando, nesse processo, a ação de organizações, governos e públicos. O objetivo do presente texto, porém, é dar um passo atrás e focar justamente esses últimos atores, refletindo não sobre como aparecem efetivamente em controvérsias envolvendo valores, mas sobre como se formam e movimentam. Trata-se, assim, de um exercício que aproxima do raciocínio das plataformas um conceito caro e central para as áreas de relações públicas e comunicação organizacional, visando abrir novos flancos e direções para pensar as múltiplas dimensões envolvidas no tema.

Imbuído desse objetivo, organizo as próximas seções ao redor de dois movimentos. No primeiro, revisito a noção de públicos calcada em Dewey (1954), destacando a importância do entendimento comum em tal concepção e algumas das formas pelas quais a anatomia das plataformas atuais afeta esse aspecto – em especial com base nos algoritmos e no processo de personalização. No segundo movimento, a criação do sentido compartilhado de mundo é pensada com base nas lógicas comerciais que regem as principais plataformas contemporâneas, enfatizando as consequências da coleta e venda de dados sobre usuários para intervenções estratégicas no processo de formação dos públicos.

OS PÚBLICOS, O SENTIDO DE COMUM E A PERSONALIZAÇÃO ALGORÍTMICA

Qualquer abordagem conceitual contemporânea sobre a questão dos públicos deve ter como preocupação de partida o claro estabelecimento das ancoragens teóricas, em especial quando considerada a rápida proliferação de visões genéricas sobre tal ideia. Na literatura atual, é recorrente um esvaziamento do conceito de públicos, de modo particular em vertentes acerca das tecnologias digitais que acabam considerando "públicos" qualquer conjunto ou agrupamento de pessoas com que uma organização lida, sejam consumidores, sejam audiências – raciocínio presente sobretudo em simplificações funcionalistas da comunicação organizacional.

Ao contrário desse uso genérico, a visão adotada aqui decorre de uma abordagem mais reflexiva e sociológica dos públicos (Esteves, 2011; Quéré, 2003; Henriques; 2017; Silva, 2019), entendendo tais agrupamentos como "formas de experiências e sociabilidade abstratas e dinâmicas, formadas em função da problematização de eventos e ações na esfera pública" (Henriques, 2017, p. 56). Nesses termos, os públicos emergem como categoria social dinâmica e incerta cuja própria existência é calcada na comunicação, assumindo protagonismo tanto nos processos democráticos quanto nas atividades de relações públicas empregadas por organizações das mais diversas naturezas.[4]

Uma das mais importantes bases para tal visão é o pensamento do filósofo pragmatista John Dewey (1954), que salienta que os públicos não têm existência apriorística nem consistem em mero agrupamento de sujeitos. Ao contrário, são coletivos pautados em lógicas de sociabilidade e acabam por assumir configurações diversas segundo as circunstâncias que os cercam. A lógica de Dewey pode ser entendida com base nas duas dimensões essenciais dos públicos apontadas pelo autor: o sofrer e o agir (Silva, 2016). Num primeiro momento, o público sofre – "consistindo

---

4. Importante destacar que a ancoragem sociológica e reflexiva sobre públicos não é incompatível com uma visão estratégica muitas vezes dominante na literatura de relações públicas. Ao contrário, Grunig (2005) parte da mesma base deweyana para formular sua Teoria Situacional dos Públicos, que auxiliaria profissionais a formular diretrizes estratégicas.

no conjunto de pessoas que são *afetadas* pelas consequências indiretas de uma transação" (Dewey, 1954, p. 15; tradução nossa, grifo nosso). Em seguida, ele (re)age, buscando interferir na situação que o incomoda, ganhando materialidade justamente a partir de sua intervenção no mundo social.

Em seu âmago, o público de Dewey é um constructo pautado na interação e no compartilhamento de sentidos sobre o mundo. Toda a essência do sofrer está diretamente atrelada a uma ideia de afetação e percepção conjunta da realidade, ideia que decorre de uma problematização do mundo no âmbito não apenas individual mas também coletivo. É nesse quesito que a comunicação se torna o ponto nevrálgico do conceito de públicos, na medida em que as opiniões e percepções dos sujeitos são constantemente (re)formuladas e (re)construídas conforme as interações e os atores envolvidos em dada situação. Nesses termos, um público jamais será mero aglomerado de pessoas que compartilham uma característica genérica (por exemplo, consumir determinado produto ou morar numa região). Ao contrário: ele é um conjunto de sujeitos que compartilham uma *problematização* e buscam caminhos para intervir em dado contexto.

Assim, o que Dewey formula é uma noção de públicos que tem como elemento básico justamente o entendimento comum sobre determinada circunstância ou situação que incomoda os sujeitos. Sem essa problematização comum, os indivíduos nunca formariam um coletivo, restando-lhes atuar apenas como seres isolados, movidos pelos próprios interesses, incapazes de entender/enfrentar as forças societais e movimentando-se como sombras sem substância. A perda do sentido comum de afetação (que leva como consequência última à perda da ideia de comunidade) é a causa central do que Dewey (1954) apontava como o "eclipse do público". Para o autor, as mudanças sociais e tecnológicas das décadas iniciais do século 20, somadas ao fechamento democrático de instituições como o próprio jornalismo, fizeram que os sujeitos cada vez menos entendessem com clareza o que os afetava como coletividade e os interesses que estavam postos em dada situação, causando um isolamento e uma fragmentação que colocavam em risco a própria existência dos públicos como forma de sociabilidade.

Se as pessoas não conseguem fazer sentido comum do mundo em que vivem, a própria ideia de públicos se torna mera abstração retórica, empregada apenas para conferir legitimidade a decisões autocráticas e garantir o avanço de interesses privados.

Segundo Dewey (1954), a solução para o eclipse do público passaria pela criação de uma "Grande Comunidade" – feito que dependeria, em última instância, de uma comunicação aberta e plural. Nesses termos, a retomada do comum estaria atrelada ao surgimento de uma vida pública bem informada, constituída de uma pluralidade de vozes e fontes de informação e na qual extensivas e inclusivas discussões públicas permitiriam "aos sujeitos tornarem comuns suas compreensões sobre os problemas que os afligem" (Silva, 2016, p. 62). Não deixa de ser curioso notar como fortes ecos da ideia de Dewey sobre a Grande Comunidade aparecem com protagonismo nas concepções mais otimistas sobre o potencial cívico das tecnologias digitais e da internet, tomando esses espaços como propícios justamente para aquela redescoberta do comum e para o empoderamento coletivo de cidadãos.

Com a anatomia das plataformas contemporâneas, porém, esse potencial de encontrar e estabelecer o comum entre os sujeitos deve, segundo Van Dijck, Poell e De Waal (2018), ser repensado em diferentes aspectos, dos quais três se destacam:

1 a personalização algorítmica;
2 a coleta de dados; e
3 os modelos de negócios das plataformas.

No que tange à personalização algorítmica, Pariser (2012) chama a atenção para os riscos, mobilizando justamente a discussão de Dewey sobre a importância da imprensa para a formação do público. O autor salienta a necessidade dos sujeitos de ter um conhecimento comum sobre o mundo como elemento básico para que ocupem seu papel na promessa democrática. Se uma plataforma como o Facebook ou o Google é capaz de construir um ambiente personalizado de informações e interações para cada usuário, o comum se torna algo profundamente mediado pelos algoritmos que são empregados nessa conformação. Se cada sujeito tem acesso a um fato diferente, a uma notícia distinta, a um tema ímpar, onde podem eles encontrar o terreno comum que marcaria sua problematização?

Pariser (2012) passa, então, a tentar entender como os algoritmos de diferentes plataformas criam empecilhos para a formação do comum, jogando luzes sobre os filtros invisíveis que balizam as informações a que cada sujeito tem acesso nas plataformas. Nesta altura, cabe destacar a opacidade daqueles filtros, na medida em que mesmo a existência deles é por vezes nebulosa – com o próprio funcionamento desses algoritmos permanecendo, ainda hoje, uma grande incógnita rodeada de sombras. O autor reconhece que tal personalização surge como resposta para um problema concreto de abundância comunicativa, mas chama a atenção para suas consequências imprevisíveis, em especial para a saúde democrática. Pariser observa que uma das esperanças trazidas pela internet era justamente "termos um âmbito no qual cidades inteiras – e até países – conseguissem cocriar sua cultura através do discurso. A personalização nos trouxe algo muito diferente: uma esfera pública dividida e manipulada por algoritmos, estruturalmente fragmentada e hostil ao diálogo" (Pariser, 2012, p. 147).

O avanço dos estudos de plataforma chama a atenção para a importância da cautela ao tratarmos esses temas de forma generalizada. Cada plataforma deve ser pensada com base em mecanismos próprios de personalização, assim como nas consequências de suas lógicas para o desenvolvimento do comum. Apesar disso, é possível cogitar que as principais plataformas contemporâneas, seja com feeds de notícias, seja com a hierarquização de resultados de buscas, acabam por tensionar o sentido do comum, fazendo que ele passe a ser definido de forma quase algorítmica. Tal fato reverbera diretamente no processo de formação e movimentação de públicos, criando tanto entraves para a formação de coletivos decorrentes da falta de um entendimento compartilhado sobre os problemas que afligem aqueles sujeitos quanto novas possibilidades para os esforços estratégicos que visam intervir de maneira desmobilizadora nesses processos (Silva, 2019), já que permite pensar no uso de técnicas de manipular os algoritmos como forma de exercer controle sobre os sentidos comuns que marcam o mundo contemporâneo.

Um desafio importante para pensar as consequências dessa personalização de conteúdos para a formação dos públicos deriva justamente da necessidade de adotar uma perspectiva multifacetada, evitando conferir a um elemento individual a eventual função de controle absoluto da realidade. Como destacam Van Dijck, Poell e De Waal (2018), mesmo que as políticas das plataformas e dos algoritmos seja vital para pensarmos como as notícias são acessadas pelos usuários, outros elementos entram em jogo, inclusive como as organizações de imprensa lidam com as plataformas, como os usuários compartilham conteúdos e como grupos de *fact-checking* desenvolvem suas atividades. A existência da personalização algorítmica é marcada por um confronto entre diversos atores que buscam influenciar aquilo a que os indivíduos terão acesso e o que acabará consistindo no "comum" – e é justamente a tentativa de entender esse embate o que pode desvelar tensões sobre a formação de públicos no mundo contemporâneo e apontar assimetrias e vulnerabilidades.

O COMUM (DES)CONSTRUÍDO

Para além da personalização algorítmica, dois elementos da anatomia das plataformas ganham destaque por intervir nos processos de formação e movimentação de públicos: a coleta de dados e os modelos de negócio das plataformas. Van Dijck, Poell e De Waal (2018) assinalam que as plataformas coletam grande volume de dados, tanto sobre seus conteúdos quanto sobre os usuários. Segundo as autoras, essa coleta é potencializada pelos programas de software que operam de forma automática, registrando cada ação dos usuários e processando-a para constituir vastos conjuntos, que abarcam não apenas IPs e geolocalizações, "mas também informações detalhadas sobre interesses, preferências e gostos" (*ibidem*, p. 9; tradução nossa). Trata-se, assim, de um conjunto de dados que versa sobre o comportamento dos indivíduos e cresce cada vez mais, a partir do cruzamento com novas informações coletadas dos mais diversos e banais aplicativos.

Nos últimos anos, esses bancos de dados – inéditos na história humana – se tornaram formas populares de monetização das plataformas. Conforme o que Schneier (2015) nomeia barganhas implícitas no uso tecnológico, os usuários trocam a todo momento suas informações pessoais pelo uso de plataformas e serviços, gratuitos ou não. Essas plataformas, por sua vez, empregam os dados coletados como forma primordial de negócio, permitindo que outras empresas e corporações tenham acesso àquelas informações mediante trocas monetárias. Se num primeiro momento isso significava propagandas direcionadas e personalizadas, o volume de dados coletados e negociados no mundo contemporâneo implica agora diversas formas novas de utilização deles, alterando profundamente muitas das dinâmicas sociais.

No que tange aos públicos, é possível pensar que aquela negociação de dados dos usuários permite que determinados atores tenham compreensão aprofundada sobre o que seria o comum – sobre possíveis pontos de contato que levariam à formação de públicos, sobre públicos em estágios de concepção, sobre a movimentação dos sujeitos mais organizados. Trata-se de imaginar o cruzamento de dados, preferências e problematizações, identificando com base neles terrenos e atitudes comuns – mesmo que subjacentes ou ainda embrionários. O potencial preditivo desses dados acarreta ganho estratégico incalculável para organizações e grupos cujas atividades estão atreladas à opinião pública – implicando inclusive, por meio de intervenções, a capacidade de antever o movimento de públicos antes que ele se materialize.

Assim, a coleta e a subsequente venda de dados sobre os usuários podem ser pensadas pelo prisma de "conhecimento", possibilitando que organizações entendam melhor tanto as preferências dos sujeitos como os públicos modernos. É apenas uma, porém, das vertentes que devem ser pensadas. O impacto mais significativo dessa característica da sociedade de plataformas se relaciona não ao ideal preditivo, mas à capacidade de atores diversos de *influenciar* e *moldar* comportamentos.

É desse viés que Shoshana Zuboff (2019) escreve sobre a era do capitalismo de vigilância (*age of surveillance capitalism*), observando como o acesso a esses dados implica mudança significativa no próprio modelo econômico e social contemporâneo. Segundo Zuboff, as novas tecnologias de vigilância, derivadas de técnicas de *machine learning*, acarretam pressões competitivas que, por sua vez, provocam mudança no que antes se imaginava sobre o uso de dados de usuários. Os atuais processos de inteligência automatizada voltam-se "não apenas para *conhecer* o nosso comportamento, mas também para *moldar* as nossas ações" (Zuboff, 2019, p. 15; tradução nossa, grifos no original). Nessa lógica, o que entra em jogo são os meios para modificar o comportamento conforme o conjunto de dados coletados por uma estrutura *smart* e unificada de plataformas. A autora faz questão de salientar que tal lógica já não está apenas nas mãos das cinco grandes corporações de internet (Google, Facebook, Apple, Microsoft e Amazon), tendo-se tornado o modelo-padrão de basicamente todos os negócios de ponta que envolvem plataformas online.

Embora o uso mais direto desse raciocínio diga respeito à venda de produtos específicos, as consequências do pensamento de Zuboff são socialmente mais profundas, envolvendo toda uma nova lógica capitalista. Acerca do ponto tratado no presente texto, essa lógica inaugura novas tensões e vulnerabilidades no que tange ao processo de formação e movimentação de públicos. Uma dessas tensões e vulnerabilidades é a própria tentativa de fomentar a criação de públicos com base em cruzamentos de dados que revelem entendimentos comuns ou pontos de contato potenciais entre os sujeitos – o que implica pensar em novos recursos que possibilitariam campanhas e processos de mobilização social da parte não dos sujeitos ou dos próprios públicos, mas das organizações e corporações. Um esforço desse tipo pôde ser observado no episódio do referendo do Brexit (Zuboff, 2019), quando a campanha para que o Reino Unido saísse da União Europeia conseguiu, analisando dados de usuários, identificar um potencial público que poderia ser mobilizado (ou ativado) com mensagens que denunciassem (e exagerassem) os perigos da imigração para a Inglaterra. Fazendo convergir avançadas ferramentas automatizadas para identificar os pontos nevrálgicos que poderiam incitar com técnicas de direcionamento e personalização de mensagens (inclusive de *fake news*) a problematização comum de indivíduos isolados, a campanha conseguiu fomentar um público que teve atuação inédita no processo eleitoral, surpreendendo institutos de pesquisa e especialistas políticos.

É importante mencionar que se trata de prática nova na forma e no alcance, mas não na essência. Pelo menos desde meados do século 20, organizações e campanhas políticas tentam mobilizar sujeitos com finalidade estratégica, identificando por meio de pesquisas de opinião, sondagens e grupos focais o que seria comum. Os algoritmos e a sociedade da plataforma ampliam sobremaneira esse intento estratégico. No caso do Brexit, podemos pensar que se trata de um público de certa forma manufaturado por processos de inteligência automatizada, os quais buscaram identificar sentimentos e apreensões pessoais, ainda que estas fossem, por vezes, subjetivas ou fugazes. Uma vez que se identificava aquele terreno comum, traçavam-se estratégias para ativar e exacerbar características de forma a dar origem a uma problematização compartilhada. Nesse sentido, há certo elemento de artificialidade na origem daquele público – mas sua composição é orgânica, na medida em que os sujeitos de fato são mobilizados pelos estímulos criados a partir de tal prática.

Se estamos lidando com a possibilidade de encontrar possíveis pontos comuns capazes de mobilizar os públicos, o raciocínio contrário é igualmente válido numa ideia de capitalismo da vigilância: permitir que empresas e profissionais atuem, seguindo dados coletados pelas plataformas, em processos estratégicos de desmobilização de públicos já formados ou mesmo de potenciais agrupamentos. Nesse caso, a análise dos dados pode revelar os entendimentos e problematizações comuns a desconstruir, figuras ou valores a desmoralizar ou pontos de tensão e desentendimento a atacar por mensagens direcionadas e outras táticas – cabendo aqui destacar, para lidar com a desmobilização de públicos, o amplo leque de opções que abordei em outras oportunidades (Silva, 2017; 2019).

Ainda que a reação inicial mais propícia a essas reflexões seja de pessimismo e desencanto, devemos relembrar que os estudos de plataforma sugerem cautela para o tratamento de tais temáticas. É fundamental entender que, mesmo com a análise de dados de usuários e as últimas tecnologias de inteligência automatizada, os sentidos comuns não são determinados unilateralmente por um ator nem por uma organização – ao contrário, são disputados por forças diversas, mas de novas formas e com novas armas.

Ao final deste breve percurso, acredito que o aspecto central a compreender seja justamente a forma pela qual as características de uma sociedade de plataforma criam tensões que complicam mais ainda os processos (já complexos) de formação e movimentação de públicos. Abandonando ideias simples sobre públicos empoderados e onipotentes, o grande desafio para pesquisadores que lidam com a comunicação organizacional e as relações públicas nos ambientes digitais deve ser expandir a compreensão sobre como o ecossistema das plataformas impacta e conforma assimetrias de poder e vulnerabilidades para os públicos. A inteligência de dados consiste em mais um elemento que desconfigura a balança de forças sociais, permitindo que corporações tenham acesso a um conjunto múltiplo e inédito de informações acerca dos sujeitos – informações essas que os indivíduos, na maior parte das vezes, nem sequer sabem que foram coletadas e cruzadas. Com base na ocultação tanto do funcionamento dos algoritmos quanto de estratégias indiretas de influência decorrentes da apropriação de informações coletadas pelos processos de plataformização social, é fundamental pensar no acirramento – e na instalação – de novas vulnerabilidades dos públicos, as quais conformam entraves para a formação e atuação deles. O avanço dessa temática nos estudos comunicacionais organizacionais implica a necessidade de estudos inovadores que levem em consideração as dimensões políticas, econômicas, sociais e tecnológicas das plataformas, evitando tratá-las não como mero espaço neutro a ser ocupado por organizações ou públicos, mas como espaços de disputa entre forças desiguais.

REFERÊNCIAS

Dewey, J. *The public and its problems*. Athens: Swallow Press, 1954.
Esteves, J. *Sociologia da comunicação*. Lisboa: Fundação Calouste Gulbenkian, 2011.

GILLESPIE, T. "The platform metaphor, revisited". HIIG Science Blog. Berlim: Alexander von Humboldt Institute für Internet und Gesellschaft, 2017. Disponível em: <https://www.hiig.de/en/blog/the-platform-metaphor-revisited/>. Acesso em 30 de janeiro de 2019.

GRUNIG, J. "Situational theory of publics". In: HEATH, R. (org.). *Encyclopedia of public relations*, v. 2. Londres: Sage, 2005.

HELMOND, A. "The platformization of the Web: making Web data platform ready". *Social Media + Society*, v. 1, n. 2, 2015, p. 1-11.

HENRIQUES, M. "Dimensões dos públicos nos processos de comunicação pública". In: SCROFERNEKER, C. M.; AMORIM, L. (orgs.). *(Re)leituras contemporâneas sobre comunicação organizacional e relações públicas*. Porto Alegre: EDIPUCRS, 2017.

PARISER, E. *O filtro invisível: o que a internet está escondendo de você*. Trad. Diego Alfaro. Rio de Janeiro: Zahar, 2012.

QUÉRÉ, L. "Le public comme forme et comme modalité d'expérience". In: CEFAI, D.; PASQUIER, D. (orgs.). *Le sens du public: publics politiques, publics mediatiques*. Paris: PUF, 2003.

SCHNEIER, B. *Data and Goliath: the hidden battles to collect your data and control your world*. Nova York: Norton, 2015.

SILVA, D. R. "John Dewey, Walter Lippmann e Robert E. Park: diálogos sobre públicos, opinião pública e a importância da imprensa". *Revista Fronteiras*, v. 18, 2016, p. 57-68.

_____. "Relações públicas, ciência e opinião: lógicas de influência na produção de (in)certezas". Tese (doutorado em Comunicação Social). UFMG, Belo Horizonte, 2017.

SILVA, D. "Dinâmicas da desmobilização: a criação de entraves aos processos de formação e movimentação de públicos". In: *Anais do XXVIII Encontro Anual da Compós*. Porto Alegre, 2019.

VAN DIJCK, J.; POELL, T.; DE WAAL, M. *The platform society: public values in a connective world*. Nova York: Oxford University Press, 2018.

ZUBOFF, S. *The age of surveillance capitalism: the fight for a human future at the new frontier of power*. Nova York: Public Affairs, 2019.

8. A COMUNICAÇÃO ORGANIZACIONAL MIDIATIZADA: ENTRE OS PÚBLICOS E OS DADOS

João Francisco Raposo

INTRODUÇÃO

No atual panorama de hiperconexão, visibilidade e midiatização da sociedade e das relações, parece-nos pertinente compreender como a comunicação organizacional (também chamada de corporativa e/ou empresarial) se pauta hoje por uma dinâmica mercadológica incessantemente voltada para o dados gerados por seus públicos de interesse. Tal processo acaba por orientar toda a ação comunicacional estratégica online. Vivemos uma reorganização dos modos de agir e nos relacionar por meio das plataformas algorítmicas, que se constituíram como lócus de várias de nossas ações diárias, desde as transações financeiras até o consumo e praticamente toda a comunicação da contemporaneidade (Corrêa, 2019), sobretudo a organizacional.

Este trabalho pretende traçar o novo panorama de relações das organizações com os dados, passando pelo delineamento de conceitos contemporâneos como midiatização (Trindade e Perez, 2016; Couldry e Hepp, 2013; Hjarvard, 2012; Fausto Neto, 2008; Trindade, 2014), públicos (França, 2012; Terra, 2011; Dreyer, 2017; Kunsch, 2007; Jenkins, Joshua e Green, 2014) e, logicamente, comunicação organizacional (Baldissera, 2009; Kunsch, 2003, 2006 e 2014; Trindade e Perez, 2016). Com base em estudo bibliográfico, buscaremos compreender como os modos de relacionamento das organizações com seus públicos de interesse se encontram midiatizados e guiados por: 1) dados advindos das plataformas da rede por operações; e 2) interações que reforçam e moldam suas estratégias comunicacionais.

Carolina Terra, Bianca Marder Dreyer e João Francisco Raposo (orgs.)

ORGANIZAÇÕES E COMUNICAÇÃO ORGANIZACIONAL

> [...] parece mais fértil pensar a comunicação organizacional em sentido complexo, seja para assumir a incerteza como presença, para respeitar e fortalecer a diversidade (possibilitar que se realize/manifeste), fomentar lugares de criação e inovação, potencializar o diálogo e os fluxos multidirecionais de comunicação, reconhecer as possibilidades de desvios de sentidos e compreender a alteridade como força em disputa de sentidos, dentre outras coisas. (Baldissera, 2009, p. 120)

Para Baldissera (2009), toda comunicação que de algum modo diz respeito à organização pode ser considerada comunicação organizacional. Segundo a visão daquele autor, esta constitui um processo de construção e disputa de sentidos no que se refere às relações organizacionais e pode ser redimensionada de modo complexo com base na obra de Morin (2000). Assim, questões contemporâneas como (dentre outras) a urgência na resolução de questões *versus* o pouco tempo para a busca e a reflexão, o enfraquecimento dos vínculos, a velocidade da informação e a espetacularização de tudo corroboram um olhar atual para a comunicação organizacional como processo incessantemente planejado. Limitá-la àquilo que Baldissera denomina *organização comunicada* – ou seja, aos processos formais de fala autorizada selecionados de sua identidade e, muitas vezes, voltados para o autoelogio – é uma visão reducionista e não condiz com a diversidade e heterogeneidade da comunicação organizacional contemporânea. Na teoria do autor, a organização comunicante (estabelecida quando um sujeito – público ou pessoa – inicia uma relação com a organização, muitas vezes na informalidade) e a organização falada (aquela que se realiza fora do âmbito das organizações, mas que diz respeito a ela, em geral com processos informais e indiretos) complementam as três dimensões da comunicação propostas por ele. Tal teoria evidencia a importância de considerar a comunicação organizacional um terreno fértil, de possibilidades complexas, para relações de comunicação que ultrapassam o previamente planejado, levando as organizações a movimentos que buscam reorganizá-las.

A esse respeito, diz Kunsch (2014, p. 45):

[...] tenho defendido, há muito tempo, a necessidade de se abandonar a fragmentação e de se adotar uma filosofia e política de comunicação organizacional integrada. Quais seriam os principais desafios dessa comunicação e de seus atores em todo esse processo? Primeiro, é preciso substituir aquela visão linear e instrumental da comunicação por uma muito mais complexa e abrangente. A comunicação organizacional precisa ser entendida de forma ampla e holística. É possível dizer que é uma disciplina que estuda como se processa o fenômeno comunicacional dentro das organizações e todo o seu contexto político, econômico e social. Como fenômeno inerente à natureza das organizações e aos agrupamentos de pessoas que a integram, a comunicação organizacional envolve os processos comunicativos e todos os seus elementos constitutivos. Nesse contexto, faz-se necessário ver a comunicação inserida nos processos simbólicos e com foco nos significados dos agentes envolvidos, dos relacionamentos interpessoais e grupais, valorizando as práticas comunicativas cotidianas e as interações nas suas mais diversas formas de manifestação e construção social.

Nesse cenário, a comunicação nas organizações ocupa lugar de destaque na convergência midiática, operando por meio do poder de interagir mediante relacionamentos com os públicos e com a opinião pública (Kunsch, 2006). Para a autora, a efetivação e a eficácia de uma estratégia digital dependem tanto de um diagnóstico da realidade comunicacional a trabalhar quanto de um planejamento bem elaborado, levando-se em conta não só a relevância de tais ações diante daquilo que os públicos demandam, mas também toda a complexidade da rede e da comunicação atual. Assim, podemos considerar as organizações uma microssociedade que atua nos âmbitos social, econômico, simbólico e político.

Todas essas transformações alteraram por completo o comportamento institucional das organizações, e a comunicação passou a ser considerada de outra maneira. Assim como a propaganda teve um papel fundamental após a Revolução Industrial, a comunicação organizacional, no sentido corporativo e governamental, começou a ser encarada como algo fundamental e, em muitas realidades institucionais, como uma área estratégica na contemporaneidade. As ações isoladas de comunicação de marketing e de relações públicas são insuficientes para fazer frente aos novos mercados competitivos e para os relacionamentos com os públicos e/ou interlocutores dos diversos segmentos. Estes são cada vez mais exigentes e cobram das organizações responsabilidade social, atitudes transparentes, comportamentos éticos, respeito à preservação do planeta etc., graças a uma sociedade mais consciente e uma opinião pública sempre vigilante. E, neste contexto, a comunicação passa a ser estratégica e a sua gestão tem que ser vista sob uma nova visão de mundo e numa perspectiva interdisciplinar. (Kunsch, 2014, p. 41)

Até o final dos anos 1980, meios impressos e audiovisuais clássicos eram o principal produto e o modo de relacionamento da comunicação organizacional. Hoje, porém, ela se pauta e estabelece novas relações por meio das tecnologias digitais (Terra, 2009), representadas, em sua maioria, pelas plataformas da rede (Facebook, Instagram, LinkedIn e YouTube, dentre outras). Kunsch (2006, p. 167) ressalta que a comunicação é parte intrínseca da natureza das organizações, que são constituídas de "pessoas que se comunicam entre si e que, por meio de processos interativos, viabilizam o sistema funcional para sobrevivência e consecução dos objetivos organizacionais num contexto de diversidades e de transações complexas". Dito isso, a autora nos leva a entender que as organizações são um fenômeno comunicacional contínuo e que sem comunicação elas não existiriam, sendo compostas de pessoas com universos cognitivos e culturas distintos, evidenciando como é complexo pensar a comunicação nas organizações e, do mesmo modo, as organizações como comunicação. Em outro trabalho, Kunsch (2003) sustenta que a comunicação institucional, quando somada à interna, à mercadológica e à administrativa, forma o composto comunicacional da comunicação eficiente, originando ainda, juntas, o que a autora denomina *comunicação integrada*. O conceito trabalhado por Kunsch desde 1985 aponta a necessidade de uma visão holística para a concepção e prática da comunicação nas organizações, levando em conta também a questão humana e a agregação de valores. Uma perspectiva complexa que considere também as demandas, os interesses e as exigências dos públicos e da sociedade (Kunsch, 2014, p. 46).

Corrêa (2005), por sua vez, acredita que a comunicação organizacional tem por função essencial estabelecer canais de comunicação e seus respectivos ferramentais para que as corporações, usando discurso uniforme e mensagens coerentes, se comuniquem da melhor forma possível com seus públicos. A autora aborda o conceito de eficácia comunicacional para reforçar a ideia de avaliação da maneira mais adequada para uma estratégia de comunicação, com resultados e metas de acordo com o que foi proposto, buscando a otimização de recursos disponíveis das organizações. Sobre o digital, assim como a sociedade e toda a nossa cultura passaram por grandes modificações advindas de uma nova era, assim também a comunicação organizacional sofreu impactos dessa revolução, alterando, em consequência, tanto seus processos, modos de produção e veiculação de mensagens como os canais, atores e modos de relacionar-se com os públicos de interesse. Corrêa acredita que a comunicação digital (aí incluída, logicamente, a organizacional) é questão de estratégia e relacionamento com os públicos, pois utiliza as tecnologias digitais de informação e comunicação como ferramental nos processos de comunicação das organizações.

COMUNICAÇÃO ORGANIZACIONAL E OS PÚBLICOS

> [...] o sujeito consumidor, como sujeito social, encontra-se vivo justamente por sua característica comunicativa: ser interagente e atuante nas dinâmicas das culturas de consumo. Esse sujeito comunicativo está demarcado por conflitos e está atravessado por todo tipo de mediação cultural, no sentido oferecido por Martín-Barbero (2001), de natureza étnica, de classe social, das tecnologias, da educação, da religião, de convicções políticas, institucionais e econômicas, entre tantas outras. (Trindade e Perez, 2016, p. 4)

Para Kunsch (2007), a comunicação organizacional que temos hoje advém da Revolução Industrial, a qual proporcionou a expansão das corporações no século 19, acarretando também grandes mudanças nos modos de produção, no trabalho e na atividade comercial em geral. As mudanças provocadas pelo processo de industrialização fizeram que as corporações buscassem novas formas de comunicar-se com seus públicos, e, segundo Kunsch, foi a propaganda a pioneira em fazê-lo. Hoje é possível perceber a comunicação organizacional como a responsável por terem-se estabelecido políticas estratégicas de relacionamento nas respectivas áreas de atuação, políticas vinculadas a temas como transparência, confiança e lógicas de entretenimento, trazendo ainda, para a autora, a necessidade de conhecer e planejar estratégias com seus públicos e com a opinião pública.

Os estudos de França (2012) propuseram várias classificações de públicos, dentre elas a que leva em conta o público interno (que tem ligações socioeconômicas e jurídicas com a organização – diretores, funcionários, acionistas...); o externo (que, embora sem ligações socioeconômicas ou jurídicas, interessa à corporação especialmente por motivos políticos e mercadológicos); e o misto (que tem ligações socioeconômicas e jurídicas com a organização mas não vivencia suas rotinas nem seu espaço físico – familiares dos empregados, fornecedores e outros). No entanto, França afirma que as transformações sociais e organizacionais de nosso tempo trazem uma não correspondência com essa categorização, a qual simplifica e desconsidera nichos específicos e extremamente importantes aos quais se devem dirigir as ações organizacionais contemporâneas.

Assim, em classificação mais recente, o autor propõe a Conceituação Lógica dos Públicos (CLP), dividindo-os em essenciais (aqueles ligados ou não à organização, dos quais ela depende para a sobrevivência e com atividades ligadas a sua missão); não essenciais (as redes de interesse específico, que não participam das atividades-fim da organização mas participam das atividades-meio); e redes de interferência (do cenário externo da organização, que geram interferências desejáveis ou indesejáveis para a corporação, como a concorrência e a comunicação de massa/internet). Sobre a realidade das redes digitais, o autor ressalta que a comunicação deve considerar a classificação de públicos já feita; a forma de comunicação com eles; e a maturidade digital da organização, que já mapeia seus públicos.

Jenkins, Green e Ford (2014), de sua parte, traçaram algumas diferenças conceituais entre o significado de audiência e o de públicos. Para os três autores, a audiência é mera agregação de indivíduos produzida por mecanismos de vigilância e medição característicos da rede, mostrando-se imprecisa para determinar se suas pistas comportamentais são ou não úteis para as organizações. Já os públicos operam como coletividade que oferece e solicita atenção de modo mais ativo e tem na sociabilidade compartilhada um traço forte de sua personalidade. Os autores acreditam ainda que a audiência muitas vezes se comporta como grupo passivo de dados, o que atrapalha toda a dinâmica de interatividade com as organizações e, logicamente, a comunicação delas. No modelo de mídia propagável[1] proposto por eles em *Cultura da conexão* (2014), o próprio público gera a propagabilidade dos conteúdos mediante envolvimento ativo, reformulando o relacionamento com as organizações com as quais interage dentro e fora da rede.

Assim, é possível afirmar que a comunicação organizacional estratégica hoje, feita nas plataformas da rede, objetiva o aumento de ações com seus públicos (Terra, 2009); o monitoramento frequente dessas ações mediante dados gerados por aqueles mesmos públicos; e a manutenção do relacionamento deles com as organizações para gerar lucro e/ou consolidar marcas. Para Kunsch (2006), faz-se necessário um olhar mais crítico e interpretativo – e menos operacional – para a comunicação organizacional, enxergando a comunicação como organização que agrega valor e vai muito além da transmissão de mensagens na busca, primordialmente, da manutenção e formação estratégica de relacionamento com os públicos. Assim, Kunsch (2007, p. 41) alerta para a importância da gestão estratégica da comunicação organizacional, sendo imprescindível entender o porquê e a dinâmica de escolha dos públicos e do funcionamento das plataformas sociais da rede:

---

1. Nesse modelo, em linhas gerais, os autores consideram que "aquilo que não se propaga morre".

É exatamente no âmbito dessa nova sociedade e de cenários mutantes e complexos que as organizações operam, lutam para se manter e para cumprir sua missão e visão e para cultivar seus valores. A comunicação nesse contexto tem um importante papel a exercer e passa a ser considerada de forma muito mais estratégica do que no passado. Portanto, ela ocorre em ambientes complexos onde o que predomina é a incerteza global, conforme Anthony Giddens (2003).

A autora nos lembra também que foi na comunicação interna que surgiu o embrião de um canal de comunicação que, por sua vez, se revestiu de caráter instrumental e funcional e chegou à relação com os públicos externos para divulgar as empresas sem se preocupar com o retorno ou os interesses dos públicos (o que ela denominou *comunicação assimétrica*). Segundo Kunsch (2007), devemos usar o conceito de públicos chamados stakeholders ao nos referirmos àqueles essencialmente estratégicos, conectados (como grupos ou não) a uma organização e unidos ainda por interesses recíprocos. São indivíduos ou grupos de indivíduos capazes de afetar ou ser afetados pelas organizações mediante ações e resultados – os públicos-alvos, como a autora bem resume. E alerta:

> As ações comunicativas de uma empresa, por exemplo, direcionadas para atingir a sociedade ou mesmo uma comunidade precisam considerar novos fundamentos e conceitos. Entender sociedade como uma população que habita determinado território, cumprindo leis e normas, se articulando em torno de direitos e deveres etc. é uma visão limitada para compreender a complexidade da sociedade global na qual vivemos. (p. 45)

Assim como França (2012), Kunsch acredita que o conceito tradicional de públicos dimensionados por espaço geográfico, ou como internos, mistos e externos, não é mais pertinente numa realidade digital, pois se formam e se reorganizam conforme são afetados pelas organizações. Num contexto de fluxos de informação como o da internet, a formação de públicos pode ser considerada constante e muitas vezes incontrolável, tendo as comunidades virtuais nas plataformas da rede como o público essencial das organizações contemporâneas. Terra (2015) ressalta que, devido às tecnologias digitais de informação, a comunicação de uma organização e seus relacionamentos acabam hoje desembocando inevitavelmente no ambiente digital das plataformas tidas como sociais. Para aquela autora, a atual chave de sucesso quando falamos em relacionamento com os públicos vai além da compreensão ou manipulação do ferramental digital disponível e depende cada vez mais de entender a fundo o comportamento dos públicos, assim como as mutações deles em função daquelas ferramentas.

Com o cenário das organizações e seus públicos nas redes se reconfigurando constantemente, o campo da comunicação organizacional também se altera, transformando-se em área estratégica e indispensável quando falamos de relacionamento. Interação, diálogo, escuta e retorno são peças-chave nesse processo, o qual se potencializa com a enorme quantidade de dados que usuários consumidores geram na relação com as organizações. Corrêa (2005) compreende os públicos como parte fundamental e estratégica das empresas e, por isso, acredita que devem ser conhecidos a fundo, assim como seus hábitos com a organização e com o ambiente digital. A pesquisadora observa que, quanto mais integrada for a proposta de comunicação com os públicos (em especial no digital), mais complexo será o sistema de representação e maiores serão as possibilidades de um relacionamento eficaz entre aqueles e as organizações.

Terra (2011) cunhou o termo "usuário-mídia" para descrever o público que produz, compartilha, dissemina conteúdos próprios e de seus pares e os endossa em blogues, comunidades das plataformas online, chats etc. Nesse cenário, a autora acredita que o papel da comunicação organizacional vem se transformando e, cada vez mais, trabalhando mediante o relacionamento com os públicos "para identificar e cultivar os evangelistas com mais credibilidade e paixão pela organização. O assunto-chave é confiança" (Terra, 2009, p. 6). Dreyer (2017), por sua vez, sugere que o público na contemporaneidade de uma rede de hiperconexões constantes seja pensado como ubíquo, aquele que está ou existe ao mesmo tempo em toda parte. Independentemente de classificações e categorizações, a autora ressalta a importância de pensar também a eficácia das ações com os públicos

Carolina Terra, Bianca Marder Dreyer e João Francisco Raposo (orgs.)

no ambiente digital, por meio de formas de presença e diálogo cada vez mais direcionadas e formatadas para tal, já que esses processos são inerente à gênese funcional da comunicação nas organizações. "Respostas iguais e automáticas não são indicadas" (p. 53). Estamos totalmente de acordo com tal visão e acreditamos igualmente ser imprescindível compreender os públicos da comunicação organizacional com profundidade e com olhar complexo para todo o seu entorno, sendo essa uma das funções dos profissionais da área.

COMUNICAÇÃO ORGANIZACIONAL E AS RELAÇÕES MIDIATIZADAS

Com as tecnologias digitais facilitando e mediando a relação entre organizações e seus públicos na rede, podemos perceber como eles participam cada vez mais da dinâmica da comunicação organizacional, mediante processos interativos e geração de dados que criam mais e mais possibilidades de participação e interação entre públicos e organizações. Inevitavelmente, a comunicação organizacional contemporânea acaba encontrando lugar nas tecnologias digitais de informação e comunicação, sobretudo nas plataformas da rede. Com processos interativos, os públicos se midiatizam por meio de práticas transformadoras (Trindade e Perez, 2016) das relações comunicacionais entre as organizações e seus públicos com dispositivos sociotécnicos que colaboram na comunicação e construção de vínculos de sentidos entre eles. Terra (2011, p. 7) complementa:

> A comunicação organizacional, ao decidir por uma estratégia ativa de participação nas redes sociais, deve definir objetivos que passam pela ampliação do contato com o público, pela expansão das fronteiras empresariais e pela mensuração [para determinar] se esse canal de relacionamento gera venda ou consolida a marca.

Por midiatização (ou midiatizações), compreendemos um conceito criado nos anos 1980 para analisar a presença das mídias no âmbito social e cultural em nossa vida, indo além do simples estudo dos meios. Couldry e Hepp (2013) e Hjarvard (2014), dentre outros, fazem parte da "corrente nórdica", a qual acredita que a mídia está permeada de instrumentos técnicos de comunicação amplamente utilizados para potencializar nossa capacidade comunicacional, levando a uma percepção de como nossa cultura e nossa sociedade são hoje permeadas pela mídia. No Brasil, Fausto Neto (2008) é um dos principais expoentes dessa corrente de pensamento, entendendo que as tecnologias constituíram novas formas de vida pela interação como principal produto e como forma configurativa de novos modos de organização, que colocam todos os sujeitos na mesma realidade de fluxos midiáticos. Para Fausto, as mídias se constituem ainda como construtoras tanto dos processos de ser da sociedade quanto das interações entre as organizações e os atores sociais contemporâneos. Dito isso, podemos perceber como as relações engendradas pela comunicação organizacional e por seus públicos se tornam midiatizadas, porque, se todos se encontram numa realidade de múltiplas expressões e interações, são as organizações as responsáveis pela construção de conexões e canais dialógicos com os atores sociais da rede. Terra (2015) corrobora essa nossa visão e ressalta que tanto a midiatização quanto o atual ecossistema midiático têm, por meio do "usuário-mídia", os públicos da rede como agentes produtores de conteúdo e influência nas ambiências digitais.

Trindade e Perez (2016) salientam que os sujeitos consumidores podem hoje ser considerados de modo plural e fragmentado, estando dotados de dinamismo e de inúmeros papéis sociais. São um multissujeito tido como consumidor receptor das relações entre as empresas (e suas marcas) e os valores sociais e culturais de consumo que "propiciam a apropriação cultural de tais valores para a vida cotidiana via práticas socioculturais de consumo midiatizadas" (p. 3). Para os autores, esse sujeito dividido e multifacetado tem uma identidade fragmentada, distinta e complexa, o que refuta a ideia tão difundida de *target* ou público fixo, com características bem delineadas. Trindade e Perez defendem que a midiatização colabora para criar um aparato transformador dessa realidade social e cultural, que coloca o sujeito como ente abstrato, parte de uma estrutura maior de inúmeros contextos. Assim, considerando os públicos midiatizados e a midiatização das relações comunicacionais, estas podem ser "identificadas como potencializadoras da moldagem da mediação comunicativa das marcas com seus consumidores, em dado contexto cultural" (Trindade e Perez, 2016, p. 10). Os autores complementam:

> Considerar os gradientes desses contextos de interação/comunicação [...], aplicados às marcas e aos consumidores, passa pela compreensão dos usos midiáticos nas formas de participação e ações de colaboração com as marcas, bem como do reconhecimento de táticas frente às transformações empíricas das relações entre consumidores e marcas. (p. 6)

Para Terra (2015), a chave do sucesso no relacionamento com os públicos no digital está em entender o comportamento deles por meio de processos de colaboração e interação com as mídias que sejam pautados em requisitos como acordo, empatia, respaldo e confiança. Segundo a autora, as estratégias de comunicação organizacional devem embasar-se não apenas em visibilidade ou presença, mas também no fato de as organizações criarem e manterem relacionamentos dotados de vínculos, diálogo e mediação no que diz respeito às expressões de seus públicos na rede. Assim, é possível perceber como o ambiente digital, pelas interações e pela participação dos públicos na comunicação com as organizações, consegue materializar o atual relacionamento midiatizado entre uns e outros. Trindade (2014, p. 8) observa que

> a midiatização percebe nessas apropriações do sujeito uma estrutura que depende de contextos, de temporalidades e de uma lógica institucional/ideológica que via interações, por meio de dispositivos comunicacionais, modeliza padrões culturais e práticas de sociabilidade e institucionaliza lógicas políticas, crenças e percepções.

Quando falamos sobre relacionamento com os públicos na rede, Kunsch (2007) sugere ser preciso considerar as comunidades virtuais (ou *fan pages*) distribuídas pelas variadas plataformas digitais. Grupos de públicos constroem comunidades em torno de interesses específicos e com participação ativa e interativa e ideias compartilhadas. Assim, com o surgimento e a popularização das plataformas da rede, percebemos grandes mudanças na relação entre as organizações e seus públicos, antes restrita a meios tradicionais como a TV, o rádio e a mídia impressa. Hoje a comunicação organizacional busca fortalecer o relacionamento e criar valor com seus públicos de interesse mediante processos de boca a boca interativo, os quais se valem da participação como combustível para a visibilidade impulsionada pelas plataformas online. E, quando falamos em relacionamento com públicos estratégicos pelas comunidades da rede, percebemos como isso perpassa as fronteiras geográficas e traz novos modos de relacionar-se com as organizações. Como bem colocou Trindade (2014, p. 6), todo esse contexto de interação e comunicação "passa pela compreensão dos usos midiáticos nas formas de participação e ações de colaboração" e nas transformações dos relacionamentos entre públicos e organizações. Tratando-se de relacionamentos midiatizados, talvez seja necessário considerarmos como a midiatização pode ser capaz de intensificar tais relações, moldando novas práticas e processos sociais e culturais.

COMUNICAÇÃO ORGANIZACIONAL PLATAFORMIZADA: ENTRE OS PÚBLICOS E OS DADOS

> Os algoritmos, nas suas finalidades sociais de interação, tomam uma dimensão social de dominância hegemônica e semântica [...], pois quem estrutura o algoritmo estruturará os tipos, graus e condições de interação com seus significados atrelados em rede, como também seus filtros, as possibilidades de ações dos usuários, atingindo um espectro amplo da vida social midiatizada pelos dispositivos digitais, incluindo-se aí os consumos midiáticos e o consumo midiatizado. O poder estará com quem sabe programar. (Trindade e Perez, 2016, p. 394)

Corrêa (2005) chegou a afirmar que, hoje, toda e qualquer ação de comunicação se compõe de dados e informações que são gerados e recuperáveis com base nos meios digitais e passam a ser analisados numa estratégia para buscar o que ela denominou *eficácia da comunicação digital*: em essência, a valoração e o uso de critérios ligados ao *core business* de toda a ação organizacional e, em especial, à comunicação. Trindade e Perez (2019) ratificam que os rastros dos dados provenientes do ambiente digital revelam padrões de consumo e disputas de poder, passando a orientar as estratégias comunicacionais contemporâneas que são geradoras de sentidos e vínculos.

É fato que a hiperconectividade se estabeleceu definitivamente como elo em nossa sociedade, um local em que, segundo Van Djick (2019), tecnologias formatam e são formatadas por usuários e conteúdos em plataformas online. A autora holandesa denominou *plataformização da sociedade* a relação intrínseca entre nossa vida midiatizada e as plataformas da rede que interpenetram inúmeros setores de nossa rotina digitalizada: consumo, saúde e até educação, mostrando quão dependentes nos tornamos de tais estruturas. Assim, parece-nos que a plataformização pode ser considerada uma consequência direta da midiatização de tudo e de todos, em especial das relações contemporâneas, que são agora perpassadas pela comunicação – e por seus dispositivos –, ratificando o papel central que ela tem hoje. Gillespie (2017) nos lembra que o vocábulo *plataforma* traz em si a *função intermediadora* das grandes empresas de tecnologia global, com lógicas próprias comandadas por algoritmos. Essas lógicas se baseiam em cálculos sobre as atividades dos públicos da rede, possibilitando estratégias midiatizadas e plataformizadas de vínculos entre eles e as organizações.

Na busca de criar e manter relacionamentos mediante processos interativos com seus públicos, as organizações depararam hoje com oportunidades nas famosas comunidades online ou *fan pages* das plataformas da rede. Estar presente ali é fazer parte de um jogo de sedução e envolvimento do usuário, jogo que se vê impulsionado por interações e estabelece um contrato dialógico entre as partes. Nesse contexto numérico, a atuação dos públicos como produtores de dados e de conteúdos funciona como matéria-prima para a dinâmica das plataformas. Tais locais trazem estruturas centradas na ação algorítmica, que vai cunhar a "melhor experiência" para os públicos, buscando sugestões e recomendações de assuntos semelhantes por meio de históricos de interação e de engajamento. Uma *interação mediada* (Thompson, 2018) que permite inúmeras conexões tanto entre os públicos como entre eles e as organizações.

Comunicação organizacional

Segundo Thompson, é algo que, quando pensamos na multiplicidade de pessoas atingidas, provavelmente não seria possível de outra forma.

Terra (2009) observa que, com evolução da comunicação de massa – a qual foi do impresso ao eletrônico e chega hoje ao digital/algorítmico –, a comunicação organizacional absorveu um ferramental novo, transformando-se no que a autora chamou de comunicação organizacional digital. Para Terra, uma das características mais fortes desse tipo de comunicação é a possibilidade de interagir com os públicos de interesse da organização por meio da reação a esse processo relacional interativo (feedback). Os dois atributos – interação e feedback – constituem a comunicação simétrica de mão dupla, e tais conceitos advêm dos objetivos principais do fazer comunicacional das relações públicas, que, assim como o marketing e a publicidade, são parte da comunicação organizacional (Kunsch, 2006). Hoje, com uma rede na qual nossas ações são guiadas por plataformas – e seus respectivos algoritmos –, podemos perceber como nossas experiências culturais e sociais vão cada vez mais sendo moldadas, midiatizadas e construídas pelos dados gerados nas interações, que se transformaram em elemento primordial da comunicação como um todo, não só a organizacional.

> Estar presente nas plataformas da Web através de uma *fan page* torna necessária a acepção e compreensão dos motivos (por quê) e das maneiras (como) pelas quais o público quer interagir com o conteúdo de uma empresa, levando-se em conta ainda o contexto de comunidade. A ação do público se torna uma commodity em um capitalismo da comunicação e atenção. (Raposo, 2019, p. 129)

Jenkins, Joshua e Green (2014) destacam que é hoje imprescindível concentrar esforços estratégicos para ações e respostas proativas às mensagens dos públicos, transformando tais conversas em competências de arbítrio e participação ao lado das organizações. Estratégias de relacionamento nas plataformas recrutam os públicos das organizações para trabalhar como transmissores das mensagens de suas campanhas, e eles desejam participar de tais processos cada vez mais (Raposo, 2019). A observação e o monitoramento constantes das conversas e interações (e dos dados gerados por umas e outras) buscam transformá-las em valiosos insights para mais ações comunicacionais, que retornam aos públicos em um mecanismo de disputas e retroalimentação das relações com as organizações.

> O número como linguagem parcial para explicar a realidade, a partir dos avanços do design em *big data*, algoritmos e inteligência artificial (IA), sinaliza realizações no desenvolvimento do pensar e do sentir que superam essa perspectiva de parcialidade da interpretação da realidade pelos números, tornando as linguagens numéricas capazes de traduzir/expressar o pensar e o sentir humanos via máquinas de IA. (Trindade e Perez, 2019, p. 113)

Hoje, a geração de valor das atividades das organizações é pautada na experimentação contínua com mercados, com a mídia e com os públicos, pois, numa rede tão impermanente e com públicos tão diversos e complexos, é impossível uma "receita de bolo" ou fórmula que possa prever com 100% de precisão a eficácia de uma estratégia comunicacional. Atributos como performance e análise são aliados a uma lógica responsiva (Carah, 2017), que estimula a ação dos públicos para que estes sejam observados. Assim, a participação gerada e orientada pelo número como linguagem do social mediante interação nas plataformas pode alcançar toda a coletividade da rede (Raposo, 2019). E, ao mesmo tempo que a comunicação organizacional precisa ocupar-se em trabalhar com seus públicos, ela adquire a necessidade de interpretar e traduzir os dados advindos da criação e manutenção de vínculos com eles, algo que antes não era parte das competências tradicionais e curriculares da área.

CONSIDERAÇÕES FINAIS

Este trabalho realizou um delineamento bibliográfico inicial da dinâmica das relações das organizações com seus públicos numa realidade midiatizada. Passando por alguns dos principais conceitos e autores sobre a comunicação organizacional, sobre os públicos e sobre a evolução das relações entre comunicação e públicos perpassadas pela midiatização, acreditamos ser cada vez mais evidente o surgimento de um novo fazer comunicacional que opera por mecanismos de previsão, performance e interação, trazendo ainda a percepção de quão experimental é o trabalho de relacionamento entre as organizações e seus públicos, agora permeado de dados. Inegavelmente, as plataformas são hoje um lugar de hiperconexão permanente, o que acarreta inúmeros desafios, mas também oportunidades, para reconfigurar e renovar a comunicação organizacional, que hoje tem (ou deveria ter) as plataformas como aliadas estratégicas.

Os dados são agora o insumo da comunicação, não só a organizacional, que opera pelas plataformas da rede e busca consolidá-las, como também os locais de comunicação, relacionamento e disputas, porque os públicos ali se encontram. Estamos diante de um novo panorama comunicacional, que continuará evoluindo e se reconfigurando com mais e mais avanços da inteligência artificial e do aprendizado da máquina (também chamado *machine learning*). É possível pensar que talvez estejamos vivendo a dataficação[2] de tudo – inclusive das relações entre públicos e organizações –, a qual seria tanto fruto da força da mídia na lógica numérica digital quanto expoente máximo da midiatização. Mas isso já é assunto para outro artigo…

REFERÊNCIAS

BALDISSERA, Rudimar. "Comunicação organizacional na perspectiva da complexidade". *Organicom*, ano 6, edição especial, n. 10-11, 2009, p. 115-20. Disponível em: <http://www.revistas.usp.br/organicom/article/view/139013>. Acesso em 4 de abril de 2021.

CARAH, Nicholas. "Algorithmic brands: a decade of brand experiments with mobile and social media". *New Media & Society*, v. 19, n. 3, 2017. Disponível em: <http://journals.sagepub.com/doi/pdf/10.1177/1461444815605463>. Acesso em 20 de abril de 2021.

CORRÊA, Elizabeth Saad. "Comunicação digital: uma questão de estratégia e relacionamento com os públicos". *Organicom*, ano 3, n. 2, 2005, p. 94-111.

---

2. Tradução nossa do inglês *datafication*, que, em linhas gerais, significa a transformação de um negócio existente em "negócio de dados".

Disponível em: <http://www.revistas.usp.br/organicom/article/view/138900>. Acesso em 5 de abril de 2021.

_____. "Sociedade digitalizada: 'plataformização' das relações e uma privacidade 'zerada'". *Jornal da USP*, 12 abr. 2019. Disponível em: <https://jornal.usp.br/artigos/sociedade-digitalizada-plataformizacao-das-relacoes-e-uma-privacidade-zerada/?fbclid=IwAR0YWg3YYKxHcQW986UCHz_6DcJNFLiC7Pnz8OTVdpcDfpOqo8UYDDp3DVM>. Acesso em 19 de março de 2021.

COULDRY, N.; HEPP, A. "Conceptualizing mediatization: contexts, traditions, arguments". *Communication Theory*, v. 23, n. 3, 2013, p. 191-201.

DREYER, Bianca Marder. *Relações públicas na contemporaneidade: contexto, modelos e estratégias*. São Paulo: Summus, 2017.

FAUSTO NETO, A. "Fragmentos de uma analítica da midiatização". *Matrizes*, n. 2, abr. 2008, p. 89-105.

FRANÇA, Fábio. *Públicos: como identificá-los em uma nova visão estratégica*. 3. ed. São Caetano do Sul: Yendis, 2012.

JENKIS, Henry; GREEN, Henry; FORD, Sam. *Cultura da conexão: criando valor e significado por meio da mídia propagável*. Trad. Patricia Arnaud. São Paulo: Aleph, 2014.

KUNSCH, Margarida M. Kröhling. *Planejamento de relações públicas na comunicação integrada*. 4. ed. São Paulo: Summus, 2003.

_____. "Comunicação organizacional: conceitos e dimensões dos estudos e das práticas". In: MARCHIORI, Marlene (org.). *Faces da cultura e da comunicação organizacional*. São Caetano do Sul: Difusão, 2006, p.167-90.

_____. "Comunicação organizacional na era digital: contextos, percursos e possibilidades". *Revista Signo y Pensamiento*, v. XXVI, n. 51, jul.-dez. 2007, p. 38-51. Disponível em: <http://revistas.javeriana.edu.co/index.php/signoypensamiento/article/viewFile/3714/3379>. Acesso em 1º de março de 2021.

_____. "Comunicação organizacional: contextos, paradigmas e abrangência conceitual". *Matrizes*, v. 8, n. 2, jul.-dez. 2014, p. 35-61. Disponível em: <https://www.revistas.usp.br/matrizes/article/download/90446/93218/0>. Acesso em 2 de abril de 2021.

MORIN, Edgar. "O paradigma complexo". In: *Introdução ao pensamento complexo*. Porto Alegre, Sulina: 2000.

RAPOSO, João Francisco. "Governança algorítmica e publicização das marcas: estudo de casos sob o paradigma da propagabilidade no ambiente numérico do Facebook". Dissertação (mestrado em Comunicação). São Paulo, ECA--USP, 2018. Disponível em: <https://www.teses.usp.br/teses/disponiveis/27/

27152/tde-27122018-104107/publico/JoaoFranciscoRaposoeSilva.pdf>. Acesso em 27 de maio de 2021.

Terra, Carolina Frazon. *Usuário-mídia: a relação entre a comunicação organizacional e o conteúdo gerado pelo internauta nas mídias sociais*. Tese (doutorado em Interfaces Sociais da Comunicação). São Paulo, ECA-USP, 2011. Disponível em: <http://www.teses.usp.br/teses/disponiveis/27/27154/tde-02062011-151144. Acesso em 10 de março de 2021.

_____. "A comunicação organizacional em tempos de redes sociais online e usuários-mídia". *XXII Congresso Brasileiro de Ciências da Comunicação*, Curitiba, 4-7 set. 2009. Disponível em: <https://www.academia.edu/18590801/A_comunica%C3%A7%C3%A3o_organizacional_em_tempos_de_redes_sociais_online_e_de_usu%C3%A1rios-m%C3%Addia>. Acesso em 6 de abril de 2021.

_____. "Relacionamentos nas mídias sociais (ou relações públicas digitais): estamos falando da midiatização das relações públicas?" *Organicom*, ano 12, n. 22, 1º semestre 2015, p. 103-17. Disponível em: <http://www.revistas.usp.br/organicom/article/view/139271>. Acesso em 3 de abril de 2021.

Trindade, Eneus. "Mediações e midiatizações do consumo". XXXVII Congresso Brasileiro de Ciências da Comunicação, Foz do Iguaçu, 2-5 set. 2014. Disponível em: <http://www.intercom.org.br/papers/nacionais/2014/resumos/R9-0253-1.pdf>. Acesso em 4 de abril de 2021.

Trindade, Eneus; Perez, Clotilde. "Para pensar as dimensões do consumo midiatizado: teoria, metodologia e aspectos empíricos". *Contemporânea – Comunicação e cultura*, v. 14, n. 3, set.-dez. 2016, p. 385-97.

_____. "Das mediações comunicacionais à mediação comunicacional numérica no consumo: uma tendência para pesquisa". In: Perez, Clotilde; Trindade, Eneus et al. (orgs.). *Propesq 2018 – IX Encontro Nacional de Pesquisadores de Publicidade e Propaganda*, São Paulo, ECA-USP, 2019, p. 112-27. Disponível em: <https://drive.google.com/file/d/1bl36eL4r290CCh3jnwFO806K4TewqDPR/view>. Acesso em 27 de março de 2021.

Thompson, John B. "A interação mediada na era digital". *Revista MATRIZes*, v. 12, n. 3, set.-dez. 2018, p. 17-44. Disponível em: <http://www.revistas.usp.br/matrizes/article/download/153199/149813/>. Acesso em 19 de abril de 2021.

Van Djick, José. "A Sociedade da Plataforma: entrevista com José van Dijck". *DigiLabour*, 6 mar. 2019. Disponível em: <https://digilabour.com.br/2019/03/06/a-sociedade-da-plataforma-entrevista-com-jose-van-dijck/>. Acesso em 18 de abril de 2021.

9. A AUDIÊNCIA REVELADA: O *BIG DATA* ACENTUA OS DESAFIOS PROFISSIONAIS

Margareth Boarini

INTRODUÇÃO

Dentre os inúmeros desafios e oportunidades que emergem para o profissional da comunicação organizacional nesta era pontuada por sucessivas disrupções, a disseminação do *big data*[1] se destaca. Não somente por expressar a profusão exponencial de dados de todos os matizes coletados de maneira cada vez mais ubíqua, mas também por se caracterizar como componente alimentador da inteligência artificial (IA) e da internet das coisas (IoT), duas das tecnologias que mais têm ganhado popularidade e devem ter cada vez mais influência no panorama comunicacional.

Conforme Mayer-Schönberger e Cukier (2013, p. 73), "na era do *big data*, os dados são como uma mina mágica de diamantes que continua fornecendo pedras preciosas depois que seu valor primário foi extraído". Levantamento do portal Statista (2020) mostra que, em 2025, deverão ser gerados globalmente 175 zettabytes de dados. Davenport (2017) é enfático ao afirmar a importância de não nos deslumbrarmos diante da quantidade, mas de enfrentarmos o desafio de saber extrair valor dos dados por meio da estruturação e da análise. A informação que se obtém a partir do dado é o que permite uma tomada de decisão mais lapidada e, portanto, mais

---

1. Segundo Amaral (2016), *big data* é um fenômeno que trata do volume e da diversidade tanto na captação quanto na forma com que qualquer dado é coletado e, por isso mesmo, é definido como promotor de uma mudança na esfera social e cultural. Para Mayer-Schönberger e Cukier (2013), o *big data* relaciona-se, de maneira interligada, com três mudanças de mentalidade: a capacidade de analisar grande quantidade de dados sobre um tema; a disposição a aceitar a "confusão" dos dados em vez de buscar a exatidão; e o respeito pela correlação. Neste artigo, o objetivo é evidenciar que o poder de mudança empreendido pelo fenômeno *big data* deve ser assimilado como ferramenta imprescindível também para a comunicação corporativa, tendo-se sempre, porém, a preocupação com a ética, com a privacidade e com o cumprimento de legislações específicas.

próxima do sucesso. De posse de informações sobre determinadas audiências, por exemplo, é possível criar e implementar ações que sejam mais assertivas e gerem o resultado almejado.

Depois da grande onda disruptiva trazida pelas redes e mídias sociais digitais, consideramos que *big data* e IA, juntos, contribuem para uma segunda forte onda de disrupção para o comunicador. Nesse contexto, a proposta do artigo é abordar duas vertentes de debate. A primeira diz respeito ao conceito e às implicações do *big data* e da IA, evidenciando os efeitos de sua intersecção no plano comunicacional. A segunda busca abordar a importância de o comunicador conhecer as novas tecnologias, empreender relações de parceria com áreas diferentes e atentar para oportunidades e riscos, como o não cumprimento de legislações que visam proteger os dados pessoais.

Embora o comunicador sempre tenha sido exposto a desafios, acreditamos que o momento vivenciado pela comunicação exige olhar, ações e parcerias diferentes.

A COLETA UBÍQUA DE DADOS

Amaral (2016) define dado como um fato coletado em formatos variados – analógico, digital, eletrônico ou não eletrônico, este último descrito pelo autor como algo impresso em papel ou em pedra esculpida, por exemplo. Hoje estamos imersos num mundo em que tudo se transforma em dados: documentos, rosto, jeito de dançar e andar, pegadas digitais, geolocalização, matrícula na escola, cadastro no laboratório de exames clínicos, uma troca de palavras despretensiosas com Alexa ou Siri, músicas e séries de preferência, entre tantas outras coisas. Incluem-se ainda nesse universo os sensores, que são tão presentes quanto praticamente "invisíveis" no cotidiano e já configuram outro elemento importante no processo de captação de dados. A coleta simplesmente acontece. De forma perceptível ou não. Consentida ou não.

O mercado global de *big data* totalizou US$ 44,3 bilhões em 2019, e prevê-se que cresça para US$ 116,07 bilhões em 2027 (Fortune Business

Insights, 2020). Além dos investimentos das instituições financeiras, indústrias e governos, devem impulsionar esse mercado fatores como a adoção da tecnologia 5G, o setor de cibersegurança e a disseminação da IoT.

O portal Statista (2019) apresenta para 2030 uma previsão global de 50 bilhões de dispositivos conectados pela tecnologia da IoT – o que significa a hiperconexão pela internet com qualquer coisa ou sistema computacional (Gabriel, 2018, p. 25). O fluxo de dados sobre as pessoas (hábitos de consumo ou rotina familiar, por exemplo) partirá de qualquer ponto, com crescimento constante e de forma exponencial. Por isso mesmo, Amaral (2016) classifica o dado como a matéria-prima mais abundante e de maior protagonismo no mundo contemporâneo. Kolb (2013) enfatiza que os dados podem ser obtidos por todo o ecossistema. Por dado, entende-se o fato; já por informação, o dado analisado que carrega em si algum significado (Amaral, 2016).

O processo vai se tornando cada vez mais poderoso e revelador a partir do momento em que o dado permite chegar a uma informação, a qual possibilita promover a correlação, podendo-se chegar à predição. A audiência tem então revelados seus desejos, costumes, segredos simples do dia a dia. A frase "Sorria, você está sendo filmado!" ficou totalmente desgastada. Não pelo fim do uso de câmeras e respectivas filmagens em locais de acesso, mas por inúmeras outras ferramentas mais invasivas empregadas para identificar e reconhecer qualquer pessoa. A biometria, por exemplo, é um processo poderoso de coleta de dados. Recorrendo a uma analogia que acompanha o tom descontraído empregado naquela frase mais acima, talvez o aviso mais adequado aos novos tempos seja: "Relaxe, você já foi escaneado!"

O mundo do *big data* só se tornou possível graças aos avanços tecnológicos em áreas tanto da captação, medição e registro de um volume exponencial de dados quanto da capacidade de armazenamento proporcionada pela *cloud computing* (computação na nuvem). Conhecido por reunir cinco Vs – velocidade, variedade, volume, veracidade e valor –, o *big data* inaugura uma fase importante na história, porque impacta a maneira como se tomam decisões e como se compreende a realidade (Mayer-Schönberger e

Cukier, 2013). A dinâmica na captação e nos processos subsequentes – a mineração de dados, a análise de padrões e a correlação, entre outros – potencializa o poder de mais tecnologias, como a IA e a IoT, no que se refere seja ao conhecimento de seus públicos-alvo, seja à concepção e operacionalização de ações comunicacionais. Afinal, o dado funciona como "alimentador" da IA.

A partir da correlação feita, torna-se possível chegar à predição – a qual, segundo Siegel (2017, p. 16), é capaz de reinventar setores e dominar o mundo. Com base na experiência (dado), pode-se prever o comportamento futuro dos indivíduos. Pela óptica da vantagem trazida, a capacidade de traçar rapidamente correlações permite controlar epidemias; mapear problemas urbanos a fim de solucioná-los; e até informar a variação em preços de passagens aéreas, lembram Mayer-Schönberger e Cukier (2013).

Agrawal, Gans e Goldfarb (2018) definem como predição "o processo de preenchimento de uma informação faltante. A predição pega a informação que temos, geralmente chamada de 'dado', e a usa para gerar a informação que não temos" (tradução nossa). O dado se transforma na energia empregada para o processo de predição funcionar e possibilita alimentar e treinar algoritmos. Quanto mais interação houver entre máquina e ser humano, por exemplo, mais a máquina aprenderá sobre nossos hábitos, preferências, necessidades. Tomemos como exemplo a interação entre os usuários e os assistentes virtuais por comando de voz. Ao longo do tempo, da prática e da constância do processo interativo, esses assistentes têm aprimorado a capacidade de entender o pedido e como ele é feito pelo usuário. A partir daí, o assistente torna-se capaz de buscar informações mais assertivas para as solicitações e lapida a capacidade de formular e entregar respostas mais acertadas. Consequentemente, a interação entre máquina e usuário se torna cada vez mais satisfatória e frequente.

O processo de interação gera aprendizado, movido pela troca de dados. A tecnologia de *machine learning* (ML), ou aprendizagem de máquina, é uma área da IA responsável por lidar "com algoritmos que permitem a um programa 'aprender'" (Gabriel, 2018, p. 197-98). O processo de minerar e analisar os dados é que originará a informação, que, por sua vez, desvendará os segredos da audiência. Trata-se de um processo fluido, praticamente imperceptível.

As novas tecnologias, porém, não tornam irrelevantes as práticas tradicionais de coleta de dados. Lindstrom (2016) chama a atenção para a importância do que ele define como *small data*, ou pequenos dados, que podem ser captados em locais físicos ou não, como gavetas, álbuns tradicionais de fotos ou redes sociais. Por meio de técnicas como observação, conversas ou entrevistas com a própria audiência no ambiente habitado por ela, obtêm-se informações pertinentes. O autor defende que o melhor resultado surge da integração e da correlação entre os dados advindos do *big data* e do *small data*. A estratégia comunicacional só tende a ganhar ao integrar o uso desses dois tipos de dado.

A intersecção entre *big data* e IA permite aos stakeholders de todas as áreas – vendas, recursos humanos e, sim, comunicação – traçar estratégias mais assertivas. A implantação e a consequente popularidade de tais tecnologias estão em fase embrionária, mas o debate sobre as possíveis aplicações já se evidencia como relevante pelas oportunidades trazidas. De acordo com Wiencierz e Roettger (2019), embora o emprego do *big data* pela comunicação ainda esteja no início, o potencial da tecnologia é tão grande que seu crescimento na área é visto como certo.

O processo de aproximação das disciplinas relações públicas e marketing, fortalecido pela dinâmica e pelas ferramentas surgidas na época, fica ainda mais favorecido por tecnologias como o *big data* e a IA. As duas disciplinas têm vivenciado momentos de proximidade em muitas ações, como a ativação de marca. Scott (2017) é taxativo ao afirmar que as fronteiras entre RP e marketing estão desfocadas desde que os mundos offline e online passaram a convergir por causa do protagonismo das redes. Na perspectiva do autor, aliás, é que já não se justifica ter departamentos e equipes específicas para cada uma das áreas. A aproximação entre as disciplinas, em maior ou menor grau, é um movimento já sentido por profissionais e em diversas agências de comunicação.

A MULTIDISCIPLINARIDADE REVELA A INFORMAÇÃO

Traçar uma estratégia comunicacional sempre foi um processo complexo, mas a contemporaneidade tem imposto percursos ainda mais desafiadores, como a força das redes, o papel ativo do prossumidor[2], o surgimento de influenciadores humanos, a crescente presença (mais recente) daqueles não humanos e a própria aproximação entre as ações comunicacionais de relações públicas e marketing.

A adoção das novas tecnologias também desafia o setor. O uso do *big data*, por exemplo, demanda altos investimentos e programas e equipes superespecializados. Essas equipes são formadas de profissionais das ciências exatas, que podem ser próprios ou ligados a parcerias. O mesmo cenário se aplicaria à implantação de ferramentas comunicacionais com o uso de IA. Contar com esse tipo de tecnologia no dia a dia requer, portanto, entendimento sobre seu funcionamento, suas particularidades e suas aplicações, mais planejamento rigoroso para implantá-la e disponibilidade de investimento financeiro elevado.

Kolb (2013) justifica o uso dos dados ao enfatizar quão importante para uma empresa é conhecer os "segredos" de seus consumidores a fim de obter os resultados esperados nos processos de atração, retenção, satisfação e fidelização. O universo comunicacional mantém a busca de influência, engajamento e confiança na marca. Aos textos, imagens estáticas e programas de rádio no formato tradicional, presenciamos agora o poder de se agregarem imagens em movimento: memes e gifs, podcasts, vídeos curtos, stories, conversas com *bots* e emojis, entre outros recursos. A comunicação digital implantou uma forma peculiar de se comunicar e de integrar os indivíduos, seja em que esfera for – pessoal, profissional ou até relativa à cidadania (Terra, 2016).

Embora os comunicadores sempre tenham mostrado capacidade de atuar ou de trabalhar de forma bem próxima e transversal em ou com áreas

---

2. *Prossumidor*, termo cunhado por Alvin Toffler no livro *A terceira onda* (1980), expressa a conjunção de consumidor com produtor. Com a disseminação das redes e mídias sociais digitais, as pessoas deixaram de apenas consumir conteúdos de forma passiva e tornaram-se grandes produtores e distribuidores de conteúdo.

correlatas, o momento contemporâneo revela uma necessidade peculiar. Os novos desafios embutidos no uso do *big data* e da IA obrigam ao trabalho com áreas originadas nas ciências exatas e antes consideradas antagônicas. A figura do cientista de dados, por exemplo, vem ganhando relevância porque esse perfil de profissional tem a capacidade de revelar, extrair e identificar as informações embutidas nos dados coletados. Davenport (2017, p. 155-56) até faz um alerta para a importância de integrar o cientista de dados na área estratégica de uma organização, a exemplo do que já acontece em muitas startups: há casos de "organizações que integraram executivos especializados em dados em seus conselhos de administração". A dinâmica comunicacional entre empresas e audiências pode se valer sobremaneira da parceria entre esse perfil de profissional e o de áreas distintas.

No passado recente, o profissional da comunicação até conseguia assimilar com mais facilidade habilidades diferentes da sua. Entretanto, a leitura e a análise dos dados demandam estudo específico e desenvolvimento de competências. É importante reforçar que isso não é impossível, e por certo muitos comunicadores poderão vislumbrar aquela área como possibilidade de aprimorar seu conhecimento. Acreditamos que parte da solução reside na humildade de reconhecer a incapacidade de exercer de imediato uma função que se tornou primordial para o trabalho. Buscar e operacionalizar parcerias com profissionais de áreas díspares poderá ajudar a conceber estratégias comunicacionais.

O futurólogo Kevin Kelly (1998) já apregoava que a então "nova economia" estava intimamente ligada à comunicação. Para ele, "a comunicação é o alicerce da sociedade, de nossa cultura, de nossa humanidade, de nossa própria identidade individual e de todos os sistemas econômicos" (p. 14). A comunicação passou a se valer de um escopo maior de ações e de possibilidades de explorar o *storytelling* (Ferrari, 2016). Ao longo dos anos, o contar histórias já incorporou vários elementos além do textual, e, na era dos dados, é natural que eles também passem a ser empregados com mais constância. Knaflic (2019) defende o emprego de dados para empreender um processo de *storytelling*, atentando-se para fatores como o contexto, o design na apresentação dos dados e a atenção e cuidado para entregar um produto adequado à expectativa do público, da audiência. Nesse ponto, porém, reside novo desafio. É preciso aprender a contar uma história com dados, já que, tradicionalmente, as escolas ensinam a contá-la por meio de textos. "Há uma história em seus dados. Mas suas ferramentas não sabem qual é essa história. E é aí que você entra – o analista ou comunicador da informação – para dar vida à história, visual e contextualmente" (Knaflic, 2019, p. 3).

Na visão de Saad Corrêa (2016, p. 63), o *big data* se firma como um dos três contextos do panorama comunicacional pelo "alto valor informativo e extremo potencial para a estruturação de ações comunicacionais cada vez mais personalizadas". Os dois outros contextos evidenciados são a mobilidade e a geolocalização. No que diz respeito a habilidades e competências numa sociedade digitalizada, a autora complementa o *storytelling* com a quantificação e a mensuração dos dados; a codificação dos dados; a construção de aplicativos; e a reconfiguração da noção de público. "É praticamente inevitável a aproximação da área de comunicação e de seus profissionais ao uso e à configuração de ferramentas e sistemas de inteligência do negócio, construção e análise de dados" (Saad Corrêa, 2016, p. 68-69).

Muitas marcas têm investido em estratégia comunicacional adequada a cada ambiente, físico ou digital, com vistas a estabelecer bom relacionamento com seus públicos. O Magazine Luiza é um exemplo. Presente nas redes e tendo um sistema de e-commerce forte, a empresa, ao longo dos anos, tem modernizado e posicionado a Lu, seu avatar, personagem e assistente virtual, conforme as demandas da contemporaneidade. Lu ocupa o website da marca e é o "rosto" do Magazine Luiza nas redes, tendo estado presente até em ambientes diferenciados, como a rede de relacionamentos Tinder, quando foi parte de uma ação específica de vendas.

Além de tê-la inserido em ambientes diferentes, a empresa concedeu à personagem vida própria a ponto de se ver em situações adversas. Em 2019, em resposta a posts de internautas que solicitavam fotos suas de biquíni, Lu se posicionou de forma enfática contra a prática do assédio sexual. Ressaltou como é desagradável para uma mulher ter de enfrentar uma situação como essa. Durante a pandemia da Covid-19, Lu surgiu em posts em ações corriqueiras de um "ser humano" que cuida da casa, usando a máquina de lavar roupa, por exemplo.

Acreditamos ser esse um bom exemplo de estratégia comunicacional, que ademais se vale dos "segredos" de seus consumidores de forma assertiva, porque alia o conhecimento do público com o das diversas ambiências em que ele se encontra e com o trânsito natural, aos olhos da audiência, entre o estado humano e o não humano.

ATENÇÃO À LEGISLAÇÃO, BOLHAS E OPORTUNIDADES

Em 2018, teve início na União Europeia a vigência do Regulamento Geral sobre a Proteção de Dados (GPDL). Isso impôs uma dinâmica jurídica inédita a todas as organizações da Europa e a todas as outras que, de alguma forma, se relacionam com cidadãos da UE. Segundo reportagem de Gomes (2018), o GPDL estabelece, entre outros pontos, regras para avisar sobre vazamento de dados; multas por violação ao cumprimento delas; a possibilidade de o cidadão solicitar o direito ao esquecimento; e a determinação de que a coleta e o uso de dados só se realizem mediante consentimento explícito.

No Brasil, a Lei Geral de Proteção de Dados (LGPD) passou a vigorar em 2020 e, assim como na Europa, demanda conhecimento de seus artigos e das implicações caso eles não sejam seguidos, além de um estado permanente de atenção. Trata-se de um momento que inspira reflexão sobre a forma de se comunicar com as audiências sem que denote ou se configure invasão de privacidade, por exemplo.

O universo dos dados requer uma postura atenta ao exercício da ética. Ter acesso aos "segredos" da audiência não constitui passe livre nem direito de invadir a privacidade da audiência. Não tencionamos aprofundar aqui a discussão sobre o tema, mas tanto a obrigatoriedade no cumprimento das legislações como a adoção de práticas de *compliance* de qualquer organização exigirão do comunicador que pondere constantemente os limites a estabelecer para ações comunicacionais de marcas, organizações, governos e pessoas com suas audiências.

Outro ponto que consideramos importante nesta época de captação ubíqua de dados são os cuidados com a própria organização, para evitar intensificar bolhas, participar delas e envolver-se em *fake news*. Ferrari (2018, p. 156) alerta que o comunicador deverá cada vez mais estar atento a esse tipo de risco: "Não tem como segurar a avalanche de *fake news* nem furar as bolhas da pós-verdade sem saber extrair e codificar os dados. Estamos mergulhados nos algoritmos".

Pariser (2011, p. 49) lembra que "o monitor do nosso computador é uma espécie de espelho que reflete nossos próprios interesses, baseando-se na análise de nossos cliques feita por observadores algoritmos". Assim como existem empresas que podem obter vantagem financeira por meio de um mercado de dados pessoais, a disponibilidade de dados sobre as audiências pode facilitar o fluxo de informações relevantes para a área da saúde pública.

CONSIDERAÇÕES FINAIS

A relação dicotômica entre o bem e o mal se caracteriza como algo presente no que se refere a tecnologias e suas consequentes disrupções. O emprego do *big data* para mapear audiências, a fim de traçar não só uma estratégia comunicacional mais assertiva e eficaz, mas também riscos e oportunidades de negócios, é inevitável e salutar. Requer tanto investimento financeiro em formação de equipes como atenção a princípios e leis.

A dinâmica de identificar oportunidades e danos reputacionais deverá ser ágil e moldada de forma mais personalizada. As redes sociais digitais, dentro de seu funcionamento peculiar, instituíram a prática do monitoramento. O crescente uso do *big data* e da IA deverá refinar esse processo por conta da personalização no relacionamento de marca com audiências, entre outras ações. Mayer-Schönberger e Cukier (2013, p. 137) alertam que, se todos apelarem para os dados e seus instrumentos, talvez o que reste como ponto central de diferenciação seja "a imprevisibilidade: o elemento humano do instinto, do risco, do acidente e do erro".

Depois do impacto trazido pela onda das redes e mídias sociais digitais – que forçaram a revisão do modelo de negócios de áreas como o jornalismo e a publicidade e propaganda –, o fortalecimento e a popularização no uso dos dados, junto com a inteligência artificial e a popularização da internet das coisas, instituem uma nova onda disruptiva na comunicação. O profissional da área sempre vivenciou cenários desafiadores, mas tem novas questões diferentes a enfrentar. Ele precisa manter a engrenagem comunicacional em movimento ao mesmo tempo que obtém e aplica conhecimento sobre tecnologias pervasivas com alto grau de disrupção. Para isso, deve tanto praticar parcerias com áreas novas para o setor como continuar alerta a riscos que, embora antigos, têm agora poder de destruição mais rápido e mais capilarizado, como é o caso das *fake news*.

REFERÊNCIAS

AGRAWAL, A.; GANS, J.; GOLDFARB, A. *Prediction machines*. E-book. Brighton: Harvard Business Review Press, 2018.

AMARAL, F. *Introdução à ciência de dados*. Rio de Janeiro: Alta Books, 2016.

BOARINI, M. "*Big data* e inteligência artificial são a nova onda disruptiva a desafiar os profissionais". XII Congresso Brasileiro Científico de Comunicação Organizacional e de Relações Públicas. Goiânia, 2018.

DAVENPORT, T. H. *Big data no trabalho*. Trad. Cristina Yamagami. Rio de Janeiro: Alta Books, 2017.

FERRARI, P. *Comunicação digital na era da participação*. Porto Alegre: Fi, 2016.

_____. *Como sair das bolhas*. São Paulo: Educ, 2018.

FORTUNE BUSINESS INSIGHTS. "Market Research Report". 2020. Disponível em: <https://www.fortunebusinessinsights.com/industry-reports/big-data--technology-market-100144>. Acesso em 30 de maio de 2021.

GABRIEL, M. *Você, eu e os robôs*. São Paulo: Atlas, 2018.

GOMES, H. S. "Lei da União Europeia que protege dados pessoais entra em vigor e atinge todo o mundo; entenda". G1, 25 maio 2018. Disponível em: <https://g1.globo.com/economia/tecnologia/noticia/lei-da-uniao-europeia-que--protege-dados-pessoais-entra-em-vigor-e-atinge-todo-o-mundo-entenda.ghtml>. Acesso em 30 de janeiro de 2020.

HYPENESS. "A vendedora virtual da Magazine Luiza precisou falar sobre o assédio sofrido". 2018. Disponível em: <https://www.hypeness.com.br/2018/08/a-

vendedora-virtual-da-magazine-luiza-precisou-falar-sobre-o-assedio-sofrido/>. Acesso em 31 de maio de 2021.

Kelly, K. *Novas regras para uma nova economia*. Trad. Lenke Peres. Rio de Janeiro: Objetiva, 1998.

Knaflic, C. N. *Storytelling com dados*. Trad. João Tortello. Rio de Janeiro: Alta Books, 2019.

Kolb, J. *The big data revolution*. E-book. CreateSpace Publishing, 2013.

Lindstrom, M. *Small data*. Trad. Rita Figueiredo. Lisboa: Gestão Plus, 2016.

Mayer-Schönberger, V.; Cukier, K. *Big data*. Trad. Paulo Polzonoff Junior. Rio de Janeiro: Campus, 2013.

Pariser, E. *O filtro invisível*. Trad. Diego Alfaro. Rio de Janeiro: Zahar, 2011.

Saad Corrêa, E. "A comunicação na sociedade digitalizada: desafios para as organizações contemporâneas". In: Kunsch, M. M. K. (org.). *Comunicação organizacional estratégica: aportes conceituais e aplicados*. São Paulo: Summus, 2016, p. 59-76.

Schwab, K. *A quarta revolução industrial*. Trad. Daniel Moreira Miranda. São Paulo: Edipro, 2016.

Scott, D. M. *The new rules of marketing & PR*. E-book. 6. ed. Nova Jersey: Wiley, 2017.

Siegel, E. *Análise preditiva*. Rio de Janeiro: Alta Books, 2017.

Statista. "Number of internet of things (IoT) connected devices worldwide in 2018, 2025 and 2030". 2019. Disponível em: <https://www.statista.com/statistics/802690/worldwide-connected-devices-by-access-technology/>. Acesso em 31 de maio de 2021.

_____. "Volume of data/information created, captured, copied, and consumed worldwide from 2010 to 2024". Maio 2020. Disponível em: <https://www.statista.com/statistics/871513/worldwide-data-created/>. Acesso em 10 de janeiro de 2020.

Terra, C. F. "Redes e mídias sociais: desafios e práticas". In: Kunsch, M. M. K. *Comunicação organizacional estratégica: aportes conceituais e aplicados*. São Paulo: Summus, 2016, p. 255-72.

Wiencierz, C.; Roettger, U. "Big data in public relations: a conceptual framework". *Public Relations Journal*, v. 12, n. 3, 2019. Disponível em: <https://www.instituteforpr.org/wp-content/uploads/IPR_PR-Big-Data-Revolution_3-29.pdf>. Acesso em 30 de janeiro de 2020.

IV • INFLUÊNCIA E INFLUENCIADORES DIGITAIS: IMPACTOS NA COMUNICAÇÃO DAS ORGANIZAÇÕES

10. COMUNICAÇÃO ORGANIZACIONAL E INFLUENCIADORES DIGITAIS: APROXIMAÇÕES E CONFLITOS

Issaaf Karhawi

INTRODUÇÃO

Em 2016, quando o termo *influenciadores digitais* era novo, eles ainda eram conhecidos como blogueiros e youtubers e a academia se debruçava sobre o tema para definir e compreender as práticas desses sujeitos, publicamos o trabalho "Influenciadores digitais: o eu como mercadoria" (Karhawi, 2016). Nele havia a tentativa de elencar ações possíveis entre influenciadores digitais e organizações. Na lista figuravam as seguintes atividades: presença em eventos; campanhas publicitárias; desenvolvimento de produtos; e campanhas exclusivamente digitais.

Desde então, os influenciadores digitais passaram a se relacionar com organizações e marcas em diversos tipos de ação em mídia paga ou orgânica. Em consequência do alargamento das possibilidades de atuação, a lida com os influenciadores tem sido conduzida, em grande parte, por agências de publicidade sob a alçada do *marketing de influência*, o qual, de acordo com pesquisa da agência Klear (2019), cresceu 48% no Instagram em 2019. A institucionalização de uma "disciplina" responsável por diretrizes para a ação com influenciadores é essencial para a regularização do mercado; entretanto, é necessário cuidado para que o marketing de influência não seja uma atividade que negligencie possibilidades de ações que não estejam ligadas apenas ao marketing. Nesse sentido, cabe refletir sobre o lugar dos influenciadores na comunicação organizacional.

Kunsch (2016, p. 93) afirma que "as organizações devem dar [importância] à construção de relacionamentos profícuos com todos os públicos interessados". Para Dreyer (2017, p. 64), "cabe ao profissional responsável pela gestão dos relacionamentos entre uma organização e seus públicos avaliar a melhor maneira de trabalhar com os públicos, incluindo-se os influenciadores". Ou seja, a autora compreende os influenciadores digitais não apenas como espaço de mídia paga, mas também como público de interesse das organizações[1]. Por esse escopo teórico, o presente capítulo tem como principal objetivo apresentar ferramentas estratégicas para atuar com influenciadores digitais na comunicação organizacional e nas relações públicas.

PARA EVITAR CONFLITOS: DEFINIÇÃO DE CONCEITOS BASILARES SOBRE INFLUÊNCIA DIGITAL

Ainda que definir quem são os influenciadores digitais pareça tarefa superada devido à proximidade de tais sujeitos com nossa realidade diária nas redes sociais digitais, esse exercício é fundamental para a pesquisa científica. Trata-se da "ruptura epistemológica entre o objeto científico e o objeto real ou concreto" (Lopes, 2010, p. 121). Assim, evita-se a ilusão da transparência da qual trata Lopes, e, também de acordo com a autora, afastam-se as relações mais aparentes e familiares com o objeto de análise.

Os influenciadores digitais podem ser definidos, portanto, como "produtores de conteúdo que se valem da reputação que constroem na rede junto a seus públicos para atuar ao lado de marcas na promoção de produtos" (Karhawi, 2019, p. 1). Ou, de forma mais ampla, são "aqueles [internautas] que têm algum poder no processo de decisão de compra de um sujeito; poder de colocar discussões em circulação; poder de influenciar em decisões em relação ao estilo de vida, gostos e bens culturais daqueles que estão em sua rede" (Karhawi, 2016, p. 48). Terra (2021, p. 49), por sua vez, enfatiza o fato de os influenciadores digitais serem "originários das mídias sociais, [sujeitos] que construíram sua fama e sua base de seguidores e fãs a partir do ambiente digital". Já para Abidin (2015, p. 1; tradução nossa),

---

1. Por questão de recorte, as teorias dos públicos não serão contempladas neste artigo.

influenciadores são usuários comuns da internet que acumulam um grande número de seguidores em seus blogues e redes sociais por meio de narrativas textuais ou visuais sobre sua vida pessoal e seu estilo de vida. Eles engajam seus seguidores em espaços físicos e digitais e os monetizam ao integrar anúncios em seus blogues e redes sociais.

É logo na conceituação sobre os influenciadores digitais e as mudanças de suas práticas que se vê a necessidade de discutir os conflitos e as aproximações entre a comunicação organizacional e o mercado de influência digital. Nota-se que, nas diferentes definições, a questão mercadológica aparece como parte das competências e atividades profissionais de um influenciador digital. Em 2015, quando os influenciadores digitais receberam esse novo "título" no lugar das expressões mais corriqueiras *blogueiro* ou *vlogger*, notava-se um primeiro movimento importante nas manobras de profissionalização do mercado. Naquele momento, deixavam-se de lado os limites instituídos pelas plataformas digitais e ampliava-se a possibilidade de atuação dos influenciadores. Tratou-se, portanto, da "entrada de novos aplicativos na esfera de produção desses profissionais que deixaram de se restringir a apenas uma plataforma – só ao YouTube, no caso dos vlogueiros; ou só ao blogue, no caso dos blogueiros" (Karhawi, 2017, p. 53).

Outro ponto, porém, é o emprego do termo *influenciador* por causa da influência direta na decisão de compra dos consumidores que acompanham esses produtores de conteúdo nas redes sociais digitais. Em pesquisa realizada em 2018 pela QualiBest com 4.283 internautas brasileiros, constatou-se que 86% dos respondentes já tinham descoberto um produto por indicação de influenciador e 73% já haviam comprado um produto ou serviço por esse mesmo tipo de indicação. Desse modo, o influenciador digital influencia diretamente no consumo, daí o título que se cunhou.

Num exercício de futurologia, arriscaríamos dizer que o termo *influenciador digital* será, em breve, substituído por outro. Numa investigação arqueológica, pudemos evidenciar as guinadas discursivas enfrentadas em menos de uma década por esses produtores de conteúdo em rede (Karhawi, 2017). Independentemente disso, o que se observa é a ampliação do conceito. O mercado tem apresentado diversas definições dos diferentes tipos de influenciador, o primeiro passo para a compreensão mais ampla de possibilidades estratégicas que ultrapassam as ações apenas de vendas.

De acordo com a tipologia apresentada pelo *Meio & Mensagem* (2017), há três tipos de influenciador: microinfluenciador, influenciador e celebridade:

- O microinfluenciador, afirma o veículo, apresenta engajamento proporcionalmente maior que o de um grande influenciador[2]. De acordo com Terra (2017), a *quantidade de audiência* também é fator definidor dos microinfluenciadores, assim como a *especialização temática*.
- O segundo tipo, o influenciador, seria aquele que apresenta número mais significativo de seguidores nas redes sociais digitais e tende a tratar de assuntos mais genéricos que dialogam com diferentes públicos: estilo de vida, moda, culinária ou comédia.
- Já as celebridades, ainda de acordo com a categorização do *Meio & Mensagem*, são as personalidades que atuam não apenas no ambiente digital mas também na mídia tradicional e alcançam grande volume de pessoas.

Peres e Karhawi (2017), por sua vez, apontam apenas duas categorias de influenciador digital: macro e micro. O primeiro grupo estaria subdividido em outros tipos de influenciador, a saber: autoridade; conector; rompedor; e celebridade.

Para a comunicação organizacional, essa categorização pode ajudar a alargar as estratégias tendo em vista cada tipo de influenciador e objetivo de comunicação apropriado. Ainda assim, a distinção entre as celebridades, os influenciadores e microinfluenciadores não deve limitar as ações. Haja vista, por exemplo, o caso de influenciadores digitais que migraram das mídias sociais digitais para a televisão ou o cinema. Ou aqueles que já

---

2. Entende-se por *engajamento* a soma das interações da audiência dos influenciadores (em número de comentários, curtidas e compartilhamentos) em relação ao total de seguidores. Há indicadores de taxas de engajamento baseados em pesquisas quantitativas (YouPix, 2016).

galgaram posição de celebridade e não sustentam mais aquela intimidade nas redes com os seguidores. Para todos os casos, a categorização serve sobretudo para adaptar ações com influenciadores digitais em busca de resultados mais efetivos.

De forma mais ampla, Recuero (2014) destaca a presença de valores fundamentais nos sites de redes sociais para quaisquer tipos de internauta/usuário/público: visibilidade; reputação; popularidade; e autoridade. Ainda que à época não estivéssemos tratando diretamente dos influenciadores digitais, nós nos apropriamos dessas noções para discutir a temática. A *visibilidade* é entendida como premissa para as relações sociais contemporâneas, portanto valor intrínseco às relações sociais dos influencers. A *reputação* é a possibilidade, em rede, do "controle das impressões que são emitidas e dadas" (Recuero, 2014, p. 109). Na *popularidade*, o destaque recai sobre o quantitativo – a quantidade de conexões estabelecidas. Por fim, a *autoridade* "é uma medida da efetiva influência de um ator com relação à sua rede, juntamente com a percepção dos demais atores da reputação dele" (*ibidem*, p. 113).

No processo específico dos influenciadores digitais, a legitimação pressupõe que os seguidores apreendam os valores do influenciador embutidos nas interações sociais em rede. Em consequência, a pessoalidade passa a ser característica importante na presença digital dos influenciadores. Mais evidente nos microinfluenciadores, esse aspecto foi herdado da escrita íntima e da personalização de conteúdo e linguagem de seus antecessores, os blogueiros (Amaral, Recuero e Montardo, 2009).

Assim, a relação de marcas com quaisquer tipos de influenciador está embutida no objetivo de pessoalidade. Os influenciadores são filhos de uma cultura da participação em que há a entrada de amadores no polo da produção e em que a possibilidade de produzir conteúdo não está mais restrita àqueles que têm a posse dos meios tradicionais de difusão e distribuição (Shirky, 2011; Jenkins, 2009; Anderson, 2006). A gênese desses sujeitos e dessa prática se deu pelo amadorismo e pelo uso de ferramentas de distribuição e de produção abertas a todos – as plataformas de redes sociais digitais. Por essa razão, a pessoalidade é imperativa e definidora da relação dos influenciadores com seus próprios públicos. Afinal, *a priori*, qualquer um com acesso à internet e com login gratuito no Instagram poderia se tornar influenciador digital. Esse sujeito, mesmo que reunindo milhões de seguidores, não deixa de discursar sobre a proximidade que tem com seus públicos. Desse modo, influenciadores dividem com sua audiência um senso de comunidade, de comunhão.

Peres e Karhawi (2017), tendo por base entrevistas com empresas especializadas na atuação com influenciadores digitais, apontaram seis características importantes na definição desses sujeitos e suas práticas. São elas: visibilidade; adequação; versatilidade; apropriação; popularidade; e credibilidade.

Entre esses conceitos, a *adequação* deriva da necessidade constante de os influenciadores digitais se familiarizarem com os múltiplos formatos das redes sociais digitais e das muitas funções possibilitadas por elas, exigindo também a característica *versatilidade*. Já a *apropriação* se conecta aos conceitos anteriores, na medida em que os influenciadores se apropriam do digital para estabelecer algum tipo de conexão com sua audiência; mais do que apropriação, trata-se de uma condição *sine qua non*. Quanto a *popularidade* e *credibilidade*, Peres e Karhawi (2017, p. 1680) discorrem sobre a relação entre os conceitos e afirmam que

> não basta ser visível ou popular; o público tem que interagir com o influenciador, falar sobre ele, indicá-lo para outras pessoas, interagir. Essa popularidade de que falamos aqui não é só baseada em números. Isso porque "poucos (3%) em uma comunidade são conectores sociais genuínos com influência" [...]. E, apesar de os números concederem popularidade e ampliarem a visibilidade, é a credibilidade o que mantém a atividade do influenciador em voga. A credibilidade se constrói no cotidiano do influenciador, nas relações que estabelece com aqueles que o acompanham. O influencer tem que ser verdadeiro, agregar valor, passar confiança para seu público. O público seguidor conhece muito bem os influenciadores que segue. Mesmo porque o influenciador precisa disso para ter sucesso na comunicação com seus seguidores, pois Brown e Hayes (2008, p. 142) explicam que "uma mensagem carregada por um

influenciador é reforçada apenas pelo fato de que é um influenciador que faz a comunicação. Se o influenciador diz isso, deve ser verdade". É nesse processo de construção de credibilidade que o influenciador se estabelece como formador de opinião de diversos assuntos, resultando em um interesse das marcas por sua figura de influência e crédito na rede.

Assim, sempre que uma organização opta por estabelecer parcerias comerciais com influenciadores digitais em primeira instância, ela busca pessoalidade, humanização da marca, identificação e até projeção. A depender do tipo de influenciador, os resultados são variáveis, e está provavelmente aí um conflito importante na atuação com esses sujeitos. Mas há objetivos possíveis, dependendo de quem são os influenciadores digitais.

OBJETIVOS ESTRATÉGICOS E AÇÕES COM INFLUENCIADORES DIGITAIS

Toda ação em relações públicas ou, de forma mais ampla, em comunicação organizacional pressupõe a definição de objetivos, que são "os resultados que pleiteamos alcançar. [...] Portanto os objetivos têm de ser realizáveis e devem servir de referencial para todo o processo de planejamento" (Kunsch, 2016, p. 219). Assim, a atuação ao lado de influenciadores prevê também o estabelecimento de objetivos.

Para Cipriani (2014, p. 114), ao se tratar de estratégias em mídias sociais digitais, "muitos dos objetivos comumente relacionados ao uso de mídias sociais acabam sendo convertidos em objetivos estratégicos". Com base nessa noção, o autor estabelece quatro blocos de objetivos estratégicos para empresas no ambiente digital (percepção da marca; relacionamento e proximidade; inovação e criatividade; e eficiência e efetividade) e, para cada um deles, uma série de possíveis objetivos específicos.

De forma mais singular, seria possível listar alguns objetivos que podem ser parte de uma estratégia de comunicação específica para ações com influenciadores digitais (YouPix e Brunch 2019; Traackr, 2015): promoção de mensagem de marca; *awareness* (percepção/reconhecimento de marca);

conquista de novas audiências; conquista de advogados de marca; aquisição de base; conversão direta; gestão de reputação; *share of voice*; satisfação do cliente; construção de programas de mídia própria; pesquisa; e insights. No Brasil, os influenciadores digitais são mais comumente contratados para ações que resultam em *awareness* e promoção de mensagem de marca (YouPix e Brunch, 2019).

Tendo esses objetivos listados, evidenciam-se alguns dos benefícios de trabalhar com influenciadores digitais, isto é, a síntese do que se pode esperar de programas completos de influência digital ou de ações pontuais com influenciadores. Também se desvelam ações que podem ser mais efetivas com influenciadores considerados celebridades ou com influenciadores de nicho. Ao lado da definição de objetivos, encontra-se ainda a etapa de mapeamento e seleção dos influenciadores digitais mais adequados a cada ação e cada organização. Para essa escolha, são dois os caminhos possíveis e mais comumente executados no mercado:

ANÁLISE QUANTITATIVA

De um lado, a escolha de um influenciador pode se dar pelas métricas, ou seja, pelos dados de seus perfis nas redes sociais digitais. É possível considerar as métricas mais evidentes nas redes sociais digitais: o número de seguidores ou o número de curtidas e comentários em publicações. Ou, em análises mais complexas, podem-se levar em conta dados como retenção de público em vídeos (média de audiência) ou números ponderados como taxas de interação de forma geral.

Ainda que a análise e a seleção de influenciadores digitais por aspectos quantitativos pareçam mais simples, elas devem considerar que os números isolados apresentam apenas parte das vantagens trazidas por tais influenciadores. Há ações que vão exigir, mais do que comentários e curtidas num post, a percepção da imagem da organização. Outras podem demandar envolvimento considerável para prevenir ou conter uma situação de crise. Outras ações, ainda, podem considerar apenas o alcance de um influenciador, visto que o objetivo é chegar a públicos diversos no digital ou vender produtos de um lançamento da marca.

ANÁLISE QUALITATIVA

A outra possibilidade é o mapeamento e seleção de influenciadores digitais por meio de aspectos mais qualitativos. "É importante considerar que o trabalho com um influenciador é o encontro de duas marcas" (Karhawi, 2016, p. 56), portanto aspectos como missão, visão e valores devem ser analisados na seleção de tal influenciador. Ainda que essas premissas institucionais não estejam explícitas, elas se traduzem na própria história do influenciador, nas publicações em suas redes sociais digitais ou mesmo nas propostas de ações com marcas que ele aceita ou recusa. Também é fator de seleção a qualidade da produção de conteúdo, a constância dessa produção, o tipo de relação estabelecida entre o influenciador e seus seguidores e a expertise temática do influenciador digital em determinado assunto.

Evidencia-se que o objetivo de comunicação está intrinsecamente ligado a qualquer programa de influência digital desde a seleção do melhor influenciador. Mas como reunir todos esses pontos e conseguir definir ações mais assertivas?

Com base em proposta iniciada em Peres e Karhawi (2017) e nos objetivos sugeridos por Cipriani (2014), avançamos num modelo que sintetiza aspectos da atuação em comunicação organizacional com influenciadores digitais (Quadro 1, p. 150).

O Quadro 1 deriva dos pontos tratados até aqui, em especial das características dos influenciadores digitais. Traçar o perfil desses sujeitos e associá-lo ao objetivo de comunicação de determinado programa ou ação é parte da estratégia de influência digital. Por isso se deve apontar que o quadro estratégico apresentado não é estanque nem irrefutável; trata-se de uma abordagem flexível e adaptável para ações com influenciadores digitais. Além disso, segundo Martinuzzo (2014, p. 20), "à medida que a quantidade de informação disponível cresce, aumenta a demanda por atenção, insumo indispensável ao consumo das mensagens informacionais". Para conquistar e manter a atenção, o autor define, com base na leitura de Davenport e Beck, que se priorizem estratégias para "promover comunicação dinâmica e passível de personalização/customização; contar

Carolina Terra, Bianca Marder Dreyer e João Francisco Raposo (orgs.)

Quadro 1. Quadro estratégico para ações com influenciadores digitais

Objetivo principal	Objetivo específico	Característica principal do influenciador digital	Possibilidades de ação
Ampliar percepção da marca.	Divulgar produtos, marca ou eventos.	Grande alcance; produção de conteúdo constante; versatilidade de formatos e redes utilizadas.	Posts patrocinados; presença em eventos; envio de presskit; concursos culturais.
Consolidar reputação da organização.	Difundir visão e valores da organização.	Relação de confiança com seguidores; capacidade de estimular conversas na audiência.	Desenvolvimento de produto; embaixador de marca; marca como apoiadora/ patrocinadora.
Manter bom relacionamento com públicos de interesse.	Aprimorar a presença digital.	Relação de confiança com seguidores; pessoalidade; credibilidade.	Embaixador de marca; série de conteúdo especial.
Dar visibilidade às lideranças.	Facilitar monitoramento de reputação.	Especialização temática; discurso de autoridade; credibilidade.	Convites para eventos da organização; visitas a fábricas.
Implementar/ consolidar estratégias de responsabilidade social.	Divulgar programas e/ ou ações de responsabilidade social.	Especialização temática; capacidade de estimular conversas sobre pautas sociais, políticas etc.	Marca como apoiadora; envio de presskit; convites para eventos da organização.
Aumentar oportunidades de venda.	Gerar conversão.	Especialização temática; relação aspiracional; credibilidade; testemunho.	Posts patrocinados; ações promocionais.
Aumentar a fidelidade do cliente.	Reunir advogados de marca e diminuir número/alcance de detratores.	Construção de conteúdo em parceria com a audiência; relacionamento aspiracional.	Séries de conteúdo especial; produção de conteúdo para os canais da organização.
Construir vantagem competitiva.	Divulgar produtos, marca ou eventos em face de marcas concorrentes.	Grande alcance; produção de conteúdo constante; versatilidade de formatos e redes utilizadas.	Posts patrocinados; ações promocionais.

Fonte: elaborado pela autora.

histórias cativantes de personagens reais; promover a interação e a participação dos públicos na comunicação dialógica e multimídia" (p. 22). Ainda que não trate dos influenciadores digitais, a definição dá amparo para a relação entre eles e as organizações. A estratégia de construir conteúdo em parceria com a audiência, por exemplo, é um aspecto da atuação dos influenciadores que os diferencia das celebridades tradicionais (Abidin, 2015). Assim, a comunicação customizada que sugere Martinuzzo (2014) seria consequência da contratação. O mesmo para a promoção da participação e das histórias pessoais e reais, já que o discurso de testemunho (Karhawi, 2019) também é uma característica apresentada no Quadro 1.

Outros pontos apresentados no quadro referem-se aos objetivos. Um influenciador escolhido para venda de produtos, por exemplo, ainda que seja considerado segundo sua reputação, produção de conteúdo e pontos mais gerais tratados aqui, também é eleito pela força mercadológica, portanto pela relação aspiracional que estabelece com os públicos. A isso soma-se um número representativo de seguidores (indicador balizado pelos resultados esperados pela organização) e chega-se ao objetivo de aumentar oportunidades de vendas. Do influenciador selecionado para estratégias de consolidação de ações de responsabilidade social, espera-se uma prática alicerçada na credibilidade e na relação de confiança com os seguidores. Caso contrário, o objetivo ruiria por causa do descrédito do discurso do influenciador, consequentemente associado ao discurso da organização. Sendo assim, o quadro proposto é um guia, um primeiro passo para a atuação ao lado de influenciadores digitais.

CONSIDERAÇÕES FINAIS

Um capítulo como este corre grande risco: o de se tornar datado. Da pesquisa à escrita e, por fim, à publicação, novos influenciadores digitais surgiram e angariaram centenas de milhares de seguidores nas redes sociais, e as ações garantidoras de sucesso perderam sua efetividade. Na Introdução a *Cultura da convergência* (2009), Jenkins faz uma observação sobre o processo de escrita da obra: "Escrever este livro foi desafiador porque tudo parece estar mudando ao mesmo tempo e não existe um ponto privilegiado, acima da confusão, de onde eu possa enxergar as coisas" (p. 39). A angústia do autor é compartilhada pelos pesquisadores de comunicação digital. Nesse cenário caótico, porém, o local privilegiado fora da confusão talvez seja o espaço das teorias, das estratégias e, cada vez mais, do bom profissional de comunicação. Aquele capaz de enxergar que um post não é só um post e que um influenciador digital não é só "uma blogueirinha". Ao final deste capítulo, espera-se que a leitura seja capaz de despertar uma compreensão mais sistematizada desse universo em constante movimentação.

REFERÊNCIAS

Abidin, C. "Communicative intimacies: influencers and perceived interconnectedness". *Journal of Gender, New Media, & Technology*, v. 8, nov. 2015. Disponível em: <http://adanewmedia.org/2015/11/issue8-abidin/>. Acesso em 12 de outubro de 2017.

Amaral, A.; Recuero, R.; Montardo, S. "Blogs: mapeando um objeto". In: Amaral, A.; Recuero, R.; Montardo, S. (orgs.). *Blogs.com: estudos sobre blogs e comunicação*. São Paulo: Momento, 2009, p. 27-53.

Anderson, C. *A cauda longa: do mercado de massa para o mercado de nicho*. Trad. Afonso Celso da Cunha Serra. Rio de Janeiro: Elsevier, 2006.

Cipriani, F. *Estratégia em mídias sociais*. Rio de Janeiro: Elsevier, 2014.

Dreyer, B. M. "Relações públicas e influenciadores digitais: abordagens para a gestão do relacionamento na contemporaneidade". *Communicare*, v. 17, edição comemorativa, 2017, p. 56-75.

Jenkins, H. *Cultura da convergência*. 2. ed. Trad. Susana Alexandria. São Paulo: Aleph, 2009.

Karhawi, I. "Influenciadores digitais: o eu como mercadoria". In: Corrêa, E. S.; Silveira, S. C. (orgs.). *Tendências em comunicação digital*. São Paulo: ECA-USP, 2016. Disponível em:<http://www.livrosabertos.sibi.usp.br/portaldelivrosUSP/catalog/download/87/75/365-1?inline=1>. Acesso em 28 de abril de 2021.

_____. "Influenciadores digitais: conceitos e práticas em discussão". *Communicare*, v. 17, ed. comemorativa, 2017, p. 46-61.

_____. "Crises geradas por influenciadores digitais: propostas para prevenção e gestão de crises". In: *Anais do XIII Congresso Brasileiro Científico de Comunicação Organizacional e de Relações Públicas*. São Paulo: Faculdade Cásper Líbero, 2019.

KLEAR. "State of influencer marketing report", 2019. Disponível em: <https://pt.klear.com/state-of-influencer-marketing>. Acesso em 28 de abril de 2021.

KUNSCH, M. M. K. *Planejamento de relações públicas na comunicação integrada*. 6. ed. São Paulo: Summus, 2016.

LOPES, M. I. V. *Pesquisa em comunicação*. São Paulo: Loyola, 2010.

MARTINUZZO, J. A. *Os públicos justificam os meios: mídias customizadas e comunicação organizacional na economia da atenção*. São Paulo: Summus, 2014.

MEIO & MENSAGEM. "Micros com influência macro", 7 ago. 2017. Disponível em: <http://www.meioemensagem.com.br/home/midia/2017/08/08/microinfluenciadores-quem-sao.html>. Acesso em 29 de abril de 2021.

PERES, L. G.; KARHAWI, I. "Influenciadores digitais e marcas: um mapeamento exploratório". In: *Anais do X Simpósio da ABCiber*. São Paulo, ECA-USP, 2017.

QUALIBEST. *Influenciadores digitais*. São Paulo: Instituto QualiBest, 2018. Disponível em: <www.institutoqualibest.com/landing-influenciadores/>. Acesso em 10 de março de 2019.

RECUERO, R. *Redes sociais na internet*. 2. ed. Porto Alegre: Sulina, 2014.

SHIRKY, C. *A cultura da participação: criatividade e generosidade no mundo conectado*. Trad. Celina Portocarrero. Rio de Janeiro: Zahar, 2011.

TERRA, C. F. "Do broadcast ao socialcast: apontamentos sobre a cauda longa da influência digital, os microinfluenciadores". *Communicare*, v. 17, 2017, p. 80-101.

_____. *Marcas influenciadoras digitais: como transformar organizações em produtoras de conteúdo digital*. São Caetano do Sul: Difusão, 2021.

TRAACKR. *Guide to influencer marketing: how to cast a smart net and make waves*. Londres: Traackr, 2015.

YOUPIX. *Report: influencers market 2016*. São Paulo: YouPix, 2016.

YOUPIX; BRUNCH. *Creators e marcas*. São Paulo: YouPix, 2019.

11. *BRANDPUBLISHERS*: ORGANIZAÇÕES COMO PRODUTORAS DE CONTEÚDO E INFLUENCIADORAS DIGITAIS

Carolina Terra

> Vivemos um tempo em que as marcas – pessoas físicas e jurídicas – terão de se transformar em cânones, para se diferenciar na prateleira, no mercado, na competição por um olhar. (Rosa, 2006, p. 185)

Transformar-se em produtora de conteúdo no ambiente digital requer da organização fôlego para se estruturar e, assim, incluir mais uma atividade no rol de tarefas cotidianas das áreas de comunicação e marketing. Além dessa inclinação a ser seus próprios veículos de mídia, seria possível, diante do sucesso da figura dos influenciadores digitais, que as marcas fossem também agentes influenciadores? Publishers[1]? Será que já não se tornaram?

Nosso objetivo aqui é discutir como uma marca pode ser *brandpublisher* e influenciadora digital ao mesmo tempo. Comecemos com o conceito de *publisher*.

Jeff Jarvis (2018) afirma que, para caracterizar uma organização como publisher, ela precisa, minimamente, produzir conteúdo. Já Sacchitiello (2018), baseando-se em análise feita por Tim Mahlman, presidente da plataforma de publishers da Oath, afirmou em evento promovido pela Proxxima: "Companhias de outras áreas, como as de telecom, passaram a ver no conteúdo uma fonte promissora de negócios e de conexões com pessoas e tornaram esse pilar um significativo alicerce de suas operações". Mahlman (*apud* Sacchitiello, 2018) "aponta que a batalha pela atenção do

---

1. Segundo o *Dicionário de comunicação* de Rabaça e Barbosa (2002), o publisher faz a seleção e o filtro de informações, decidindo o que é relevante para determinada publicação, mesmo que o dado não tenha sido inteiramente apurado.

consumidor será o grande embate da indústria de comunicação no futuro e que a tecnologia será o apoio para a distribuição de conteúdo e para a conexão com os consumidores de maneira transparente e multiplataforma".

Assim, a competência de produção de conteúdo passa, ao menos, a fazer parte dos interesses das empresas que desejam se destacar no ambiente digital em termos de exposição e influência.

Martino (2014, p. 143) aponta para a importância de as pessoas estarem reunidas em torno de um interesse comum para se fazer ouvidas:

> Se na internet a voz do indivíduo pode cair em um oceano de outras vozes, a chance de ser ouvido é maior quando diversas pessoas se reúnem em torno de um interesse comum. No lugar de ser mais uma voz perdida no espaço virtual, torna-se um polo de convergência de várias vozes.

A nosso ver, o papel da organização é exatamente o destacado por Martino: ser plataforma aglutinadora de interesses comuns das pessoas baseando-se naquele setor/segmento em que atua, servindo, inclusive, como fonte de confiança, referência e conteúdo de determinada temática.

Para que figurem como centros de interesse para seus públicos, muitas organizações acabam por se tornar *brandpublishers*. O processo se inicia criando canais de conteúdo próprios ou usando as plataformas de mídias sociais de maneira a impactar diretamente suas audiências. Como objetivo, tais marcas vão trabalhar para municiar o público com informações que construam opinião favorável aos interesses institucionais ou comerciais, mas que também gerem benefícios para os consumidores de conteúdo.

Vieira (2021) afirma que a estratégia de se tornar *brandpublisher* se define por ser detentora da plataforma, dos dados e do processo de construção de sua audiência proprietária e tem estes benefícios:

> Para as marcas, significa trazer para dentro de casa todo o conhecimento de um publisher – incluindo-se posicionamento editorial, plataformas de publicação, técnicas de distribuição, *analytics*, tratamento de dados, indexação em mecanismos de buscas e por aí vai. Ou, em outras palavras, montar newsrooms proprietários.

Sobre um possível conflito entre uma marca publisher e os veículos tradicionais de comunicação e sobre, consequentemente, as vantagens de usar uma estratégia ligada à mídia própria em detrimento da geração de mídia espontânea em canais terceiros, Vieira (2021) destaca:

> Donas de um nível de autoridade tão relevante como esse, resta às marcas entenderem seu papel neste momento de, vamos dizer, rearranjo da indústria de mídia e comunicação. Muitos veículos têm prestígio e vantagens [que são], muitas vezes, incomparáveis. Duvido que serão relegados a segundo plano, ou sequer substituídos. Mas é inegável que o *brandpublishing* chegou para valer – e para fazer parte do mix de comunicação das empresas. Modelos e parceiros não faltarão para fazer isso acontecer.

Granja (2018) pontua que há uma tendência de as empresas se tornarem publishers: "Confirmando o movimento de marcas se tornando publishers, os formatos curtos e em série só crescem". Granja refere-se ao sucesso dos episódios curtos e sequenciados que podem ser produzidos pelas marcas para que constituam fonte de referência, relevância e acompanhamento pelos seguidores.

O uso do contexto como conteúdo é um dos recursos que os influenciadores digitais têm para engajar suas audiências. Assim, valem-se de eventos, memes, situações e os transformam em postagens, vídeos, infográficos etc. As organizações também entenderam que o tempo real é importante para que gerem engajamento, visibilidade e *buzz* em suas audiências.

Outro aporte teórico que ajuda na sustentação de uma *brandpublisher* é a tendência *direct brands*, apontada pelo IAB (2018): muitas das marcas devem dedicar-se a falar diretamente com suas audiências, sem a intermediação de veículos de mídia ou de quaisquer outros formatos, tanto nesse sentido quanto em termos de varejo. Apesar de o estudo focar mais o quesito comercial (ou seja, das vendas), podemos transpor a realidade para o segmento da comunicação direta.

Marca direta seria aquela que se relaciona sem intermediários com seu público consumidor. Para o IAB (2018, p. 19), uma *direct brand* cria valor por meio de poucas barreiras; capital flexível; cadeia de suprimentos consignada ou alugada; e relações diretas entre a companhia e seu consumidor final.

Isso acontece exatamente porque as marcas estão assumindo o papel da mídia, de publishers. Elas criam e fazem seus próprios veículos de mídia que vão "falar diretamente" com os públicos, elaborando, discursivamente, conteúdo desintermediado. Reduzir a intermediação parece ser o caminho atual de sucesso e de proximidade com os públicos de interesse da organização.

E desintermediação significa uma nova maneira de formar opiniões acerca de organizações, marcas, produtos e serviços. Isto é, um novo modelo de comunicação organizacional e RP em que é preciso ser extremamente interessante, relevante e útil para os usuários-consumidores-cidadãos.

Caminhando agora para a questão da influência, nós nos apoiamos em Luis Cambraia, em entrevista à *Exame* (Mano *et al.*, 2017), em que afirma que é tendência das empresas conquistar influência em vez de comprá-la. Ao se estruturar para ser *brandpublisher*, a organização tem a chance de sistematizar uma estratégia de conteúdo, posicionar-se como fonte de referência e fazer uso de modelos já aclamados por influenciadores digitais. Um dos maiores exemplos de marca que se posicionam como estrategista digital no Brasil, sendo fonte de referência e tendo sua própria influenciadora (artificial), é o Magazine Luiza. A Lu, como é chamada a persona digital da marca, produz conteúdo técnico, de ocasião, de vendas, de promoções e de relacionamento e atua, já dissemos, como influenciadora digital, fazendo bom uso do letramento midiático e digital que possui e aderindo a movimentos, modismos e formatos que estão fazendo sentido e ganhando destaque. Na esteira do sucesso da Lu, surgiram a Nat, da Natura; a Ully, da Ultragaz; o CB, da Casas Bahia; a Mara, da Amaro; a Rê, da Rexona; a Rennata, da Renner, entre outros. O modelo parece levar varejistas e marcas a aderir aos influenciadores virtuais – uma tentativa de controlar a narrativa, produzir conteúdo próprio, criar relacionamento, exposição, atendimento e humanização na figura desses avatares digitais.

Numa espécie de "receita" de como as marcas deveriam apropriar-se de estratégias dos *creators* para serem, elas próprias, influenciadoras, Júlio (2017) aponta sete passos, aos quais acrescentamos a nossa visão:

- Frequência. Algo que os influenciadores já fazem – por exemplo, postam vídeos duas vezes por semana. Assim, a audiência já sabe quando esperá-los.
- Sem medo dos *haters*[2]. Se as marcas querem ser produtoras de conteúdo, têm de lidar com os críticos da mesma forma que os influenciadores já fazem.
- Persona online. É importante definir uma linha editorial que destaque a marca, da maneira que, por exemplo, Niina Secrets[3] é identificada como influenciadora de maquiagem ou a Shirley, do Macetes de Mãe[4], é automaticamente relacionada como produtora de conteúdo quando o assunto é maternidade, filhos e afins.
- Desapegar-se do "merchã". A marca não precisa estar em todos os conteúdos o tempo todo.
- Usar influenciadores *versus* ser marca influenciadora. As marcas têm que pensar em conteúdo de forma a não competir com os influenciadores. E não podem achar que o conteúdo típico dos influenciadores é apenas para o público jovem.
- Padrão "internet" de qualidade. Pensar em conteúdos adaptáveis a esse tipo de meio e mídia.
- Teste constante. É necessário entender que se devem congregar os três pilares da mídia (própria, espontânea e paga) e ir "pilotando" em tempo real. Ou seja, testando e avaliando. É preciso ter bons roteiros e boas histórias, mas também dominar a tecnologia.

Está clara, portanto, uma oportunidade para que as organizações se posicionem com voz ativa em seus setores de atuação. Transpomos essa possibilidade para o ambiente digital, em que as organizações têm a chance de se relacionar com suas audiências, expor seus pontos de vista e se colocar como fontes de referência em seus segmentos.

---

2. *Haters* (em inglês, aqueles que odeiam; detratores) são usuários que detestam/odeiam determinada marca, organização, personalidade, celebridade ou tema e acabam por se tornar críticos ferrenhos nos ambientes digitais. Costumam fazer campanhas contra aquilo que detestam, bem como atacar pessoas que pensam diferentemente deles.
3. Disponível em: <https://www.instagram.com/niinasecrets/?hl=pt-br>. Acesso em 16 de abril de 2021.
4. Disponível em: <http://www.macetesdemae.com/>. Acesso em 16 de abril de 2021.

Para finalizar, lembramos que uma questão crucial é a interação. Mais do que visibilidade e fórmulas de sucesso para tornar um conteúdo viral, é preciso saber relacionar-se, atender, responder, dar retorno à audiência. Sobre isso, Barichello (2017, p. 103) confirma nosso pensamento: "Não basta estar visível, é preciso interagir. A questão colocada hoje é a ampliação das possibilidades interativas entre os sujeitos e a multiplicidade de fluxos de comunicação".

Com base na possibilidade de as marcas serem agentes influenciadores nas plataformas de mídias sociais – a exemplo do que representam os influenciadores digitais para as audiências –, desenvolvemos um percurso, que explicamos a seguir, para que as organizações consigam transformar-se nesse sentido.

A METODOLOGIA DE INFLUÊNCIA ORGANIZACIONAL DIGITAL REATIVA

Depois de termos entendido quais elementos ajudam a construir uma estratégia de *brandpublisher* no ambiente digital e aliá-los a conceitos que dialogam com nosso estudo como publicação de conteúdo, desenvolvemos um passo a passo para que a organização atinja o estágio de influente no contexto digital. Assim nasceu o acrônimo REATIVA, em que cada letra representa uma necessidade para que a organização se torne influente ou incremente sua influência no ambiente digital: relacionamento/reconhecimento; entretenimento/engajamento; ação/autenticidade; transparência; interação; visibilidade; e avaliação. Trata-se de um modelo de aquisição de influência direta para as marcas.

Podemos chamá-los de passos para atingir a influência no ambiente digital, embora não haja nenhuma obrigatoriedade de cumprir todas as etapas a seguir. No entanto, quanto mais passos a organização conseguir dar, mais condições estruturadas e planejadas terá na construção de sua autoinfluência.

A conquista da influência organizacional digital ocorreria, portanto, passando pelas seguintes etapas do acrônimo REATIVA:

R – RELACIONAMENTO/RECONHECIMENTO

Uma das estratégias fundamentais de qualquer presença em plataformas de mídias sociais é o relacionamento. Baseado em diálogo, em comunicação de mão dupla, com vistas a ouvir, atender e não só se autopromover, é um dos pilares da organização bem-sucedida nas mídias sociais.

Também crucial é o reconhecimento pelas audiências de que aquela organização existe, é idônea, se relaciona e está no ambiente digital não como coadjuvante, mas como agente.

E – ENGAJAMENTO/ENTRETENIMENTO

Entendemos por *engajamento* promover ações de uma organização com seus públicos nas mídias sociais – uma curtida, um comentário, um compartilhamento, uma marcação de outro perfil, uma opinião etc.

Dois elementos fundamentais nas estratégias de sucesso dos influenciadores digitais são a capacidade de engajar e a capacidade de entreter. São quesitos que as organizações precisam assimilar se quiserem tornar-se influentes por si.

A – AÇÃO/AUTENTICIDADE

Um dos resultados críveis da visibilidade de um perfil corporativo é quando este se preocupa com atividades nas mídias sociais que levem as audiências a alguma ação – interagindo com aquele conteúdo, repassando-o, comentando-o, ressignificando-o e assim por diante. Somente quando a audiência toma para si o conteúdo é que este passa a fazer sentido para ela e tem chances de viralizar, de ganhar as redes.

Outra máxima de sucesso dos influenciadores digitais é a autenticidade. Material da YouPix (2018, p. 83) aponta que autenticidade é reunir realidade, significância, originalidade e importância:

- Ser real – coerência entre o discurso e a prática. Conte sua própria história.
- Ser significativo – conectar-se com a audiência de maneira relevante.
- Ser original – trazer novos pontos de vista ou falar de algo totalmente novo.

- Ser importante – ter conteúdo que contribua para conversas amplas do contexto cultural e do momento.

Do ponto de vista das organizações, a autenticidade é quesito de extrema importância: é preciso que as instituições encontrem sua diferenciação em relação às outras e se destaquem e se façam necessárias no dia a dia de suas audiências. Como ser original, autêntico e único para elas? Essa é a pergunta a que se deve responder.

T – TRANSPARÊNCIA
Se a organização não for transparente, o usuário será por ela, e aí as versões oficiosas serão muito piores do que a da instituição. É preciso incorporar o princípio da transparência ao trabalhar no ambiente digital, pois oferecer a verdade e a própria versão dos fatos é sempre melhor do que contar com boatos, rumores, *fakes*, versões de outras mídias, outros usuários etc. Posicionar-se de maneira honesta em situações delicadas – de crise ou de outro tipo que requeira a presença da organização – é sempre o melhor caminho.

I – INTERAÇÃO
Condição *sine qua non* para a existência da organização no ambiente digital. Do contrário, ela estará reproduzindo a lógica de uma mídia tradicional que já não existe e que acreditava haver usuários passivos e dispostos a apenas consumir sem resposta. Dispor de canais, equipes e condições para o diálogo é essencial para que uma organização seja influente no ambiente digital.

V – VISIBILIDADE
A condição de estar visível e saber gerenciar a visibilidade na rede é fundamental para ganhar destaque na cena digital. É preciso saber trabalhar as "armas" (leiam-se tipos de mídia), pagas, espontâneas ou gratuitas, que permitam à organização ser vista por sua audiência de maneira destacada e positiva.

No que se refere às plataformas de mídias sociais, que passam da visibilidade à invisibilidade intencionais, e à influência dos algoritmos em tal questão, Saad Corrêa (2019) destaca:

1. A visibilidade no meio digital transita por um espectro amplo e flexível desde o que seja estar totalmente visível e claro até o que seja estar totalmente invisível e opaco. Mas, em qualquer ponto desse espectro, há que se estar na rede, conectado e presente.

2. Para entendermos como transitar pelo espectro do visível digitalizado, temos que incorporar como determinantes (e praticamente gestoras do processo) as características de modulação algorítmica das plataformas sociais digitais – as PSDs.

A – AVALIAÇÃO

Como em tudo na rede, a máxima é o beta constante – ou seja, para avaliar se as ações em curso estão fazendo efeito, é preciso estar em frequente processo de monitoramento e vigilância de si próprio, do ecossistema a que pertence a organização e dos que dela falam. É necessário avaliar, entender e colocar metas, índices e parâmetros com vistas a analisar se todos os esforços de comunicação no ambiente digital estão tendo o efeito desejado.

Findas as brevíssimas explicações sobre o acrônimo REATIVA da influência organizacional digital, partamos para algumas reflexões.

CONSIDERAÇÕES FINAIS

Requisito essencial para uma organização se tornar influente é o domínio tanto da linguagem quanto das técnicas e formatos – o entendimento mínimo dos algoritmos, de quanto se quer estar visível ou não, de como formar uma audiência cativa em torno da marca, contemplando interações, respostas e atendimentos. Sem conteúdo, nada disso se torna possível. Portanto uma marca influenciadora é aquela que produz ativamente conteúdo nos canais próprios e nos de terceiros. É uma *brandpublisher*.

Um ponto a considerar aqui é o desafio de construir relacionamentos quando não há vínculos. E aí remetemos diretamente à liquidez e à fluidez de Bauman (2014). Em tempos voláteis, em que nada é feito para durar, os desafios das empresas para construir relações com suas audiências são tremendos. Como cativar uma audiência infiel? Como conquistar uma audiência volátil? Muitas vezes, assistimos tão somente a iniciativas de sucesso isoladas das marcas justamente por não terem a capacidade de perdurar nem de conseguir se fazer interessantes por períodos mais extensos. A consistência das ações organizacionais, porém, culmina em possível movimento de fidelização ou acompanhamento da parte das audiências.

O acrônimo REATIVA é apenas uma sugestão de como aferir a influência organizacional digital. Entretanto, não apenas já é uma possibilidade para a temática da influência digital entre as organizações – de qualquer porte, setor ou segmento –, como também pode ser aplicado hoje aos influenciadores digitais ou aos indivíduos que são considerados marcas.

Que esforços as organizações precisam fazer para ser influentes no ambiente digital? Entendemos que eles começam por um processo sistematizado de relacionamento, interação, diálogo e, sobretudo, produção de conteúdo de interesse. Espaço para as marcas serem protagonistas digitais, há. Nossa proposta, aqui, é que as etapas sugeridas no acrônimo da influência organizacional digital ajudem no percurso de transformação em *brandpublishers* digitais e sirvam de guia.

REFERÊNCIAS

Barichello, Eugenia M. R. "Visibilidade e legitimidade na atual ecologia midiática". *Revista Estudos em Comunicação*, v. 2, n. 25, dez. 2017, p. 99-108. Disponível em: <http://ojs.labcom-ifp.ubi.pt/index.php/ec/article/view/306/172>. Acesso em 16 de abril de 2021.

Bauman, Zygmunt. *Modernidade líquida*. Trad. Plínio Dentzien. Rio de Janeiro: Zahar, 2014.

Granja, Bia. "10 tendências sobre *social video* que você precisa acompanhar!" LinkedIn, 2 maio 2018. Disponível em: <https://pt.linkedin.com/pulse/10-tend%C3%AAncias-sobre-social-v%C3%ADdeo-que-voc%C3%AA-precisa-bia-granja>. Acesso em 16 de abril de 2021.

Iab. "Direct Brands 2018 – founders' insights". IAB, 31 out. 2018. Disponível em: <https://iabbrasil.com.br/wp-content/uploads/2018/12/IABUS_Direct-Brand-Economy-Benchmarking-Report.pdf>. Acesso em 16 de abril de 2021.

Jarvis, Jeff. "Platforms are not publishers". *The Atlantic*, 10 ago. 2018. Disponível em: <https://www.theatlantic.com/amp/article/567194/>. Acesso em 16 de abril de 2021.

Julio, Karina. "Sete estratégias que marcas deveriam copiar dos influenciadores". *Meio & Mensagem*, 18 set. 2017. Disponível em: <http://www.meioemensagem.com.br/home/marketing/2017/09/18/sete-estrategias-que-marcas-deveriam-copiar-dos-influenciadores.html>. Acesso em 16 de abril de 2021.

Mano, C. *et al.* "Polêmicos, populares e influentes: o que está por trás da ascensão dos ídolos digitais que atraem milhões de fãs e cada vez mais marcas". *Exame*, n. 1132, ano 51, n. 4, 25 de mar. 2017, p. 24-37.

Martino, Luís Mauro Sá. *Teoria das mídias digitais: linguagens, ambientes, redes*. Petrópolis: Vozes, 2014.

Rabaça, Carlos Alberto; Barbosa, Gustavo Guimarães. *Dicionário de comunicação*. Rio de Janeiro: Campus, 2002.

Rosa, Mário. *A reputação na velocidade do pensamento*. São Paulo: Geração, 2006.

Saad Corrêa, Elizabeth. "Visibilidade e transparência nas redes digitais: uma relação nada óbvia". *Medium*, 22 out. 2019. Disponível em: <https://medium.com/@bethsaad/visibilidade-e-transpar%C3%AAncia-nas-redes-digitais-uma-rela%C3%A7%C3%A3o-nada-%C3%B3bvia-c6e6eb31f7fa>. Acesso em 16 de abril de 2021.

Sacchitiello, Bárbara. "Telecom, publishers ou conglomerados de mídia?" *Meio & Mensagem*, 9 maio 2018. Disponível em: <http://evento.proxxima.com.br/noticias2018/2018/05/09/telecom-publishers-ou-conglomerados-de-midia/>. Acesso em 16 de abril de 2021.

Vieira, Eduardo. "O voo do brandpublishing". LinkedIn, 12 mar. 2021. Disponível em: <https://www.linkedin.com/pulse/o-v%C3%B4o-do-brand-publishing-eduardo-vieira/?originalSubdomain=pt>. Acesso em 16 de abril de 2021.

Youpix. "Study Tour LA 2018", 30 jul. 2018. Disponível em: <https://medium.youpix.com.br/12-tend%C3%AAncias-que-voc%C3%AA-precisa-saber-sobre-v%C3%ADdeo-e-comunica%C3%A7%C3%A3o-digital-5fcbff81f22b>. Acesso em 16 de abril de 2021.

V • PLANEJAMENTO E COMUNICAÇÃO MERCADOLÓGICA

12. PLANEJAMENTO DA COMUNICAÇÃO DE MARCA NA ERA DAS PLATAFORMAS DIGITAIS

Daniele Rodrigues

INTRODUÇÃO

A cada hora de conexão no mundo online, as pessoas são expostas a centenas de mensagens. Ser relevante no meio de tantos estímulos é um desafio não só para o relacionamento entre agentes sociais com vínculo emocional – como pais e filhos, namorados, amigos, colegas de trabalho e assim por diante –, mas também para as marcas que almejam conquistar consumidores em potencial. Hoje, segundo Silveira, Avelino e Souza (2018), a atenção é para as empresas o que as fazendas foram para as sociedades rurais, o que as fábricas representaram para a Revolução Industrial e o que o conhecimento significou para a Era da Informação. Por qual razão as pessoas vão se lembrar e se importar justamente com a peça de mídia de uma marca? Para responder a essa pergunta, há variáveis como: mensagem que atende a tensões do consumidor; assertividade de canais, formatos e segmentação de mídia; e endosso de porta-vozes com capital social e potencial de mobilização. Esses elementos são peças de um quebra-cabeça agora mais complexo e dinâmico do que era no início dos anos 2000, quando o cálculo *mensagem com referências familiares à audiência* versus *alcance* versus *frequência* constituía boa parte do sucesso de comunicação de uma marca.

No entanto, ainda segundo Silveira, Avelino e Souza (2018), se as variáveis que compõem uma estratégia de marca estão hoje mais complexas – em quantidade e densidade –, também se expandiram a clareza de leitura das pistas sociais deixadas pelo consumidor, as metodologias para traçar os caminhos de atuação e as formas de aferir resultados.

Carolina Terra, Bianca Marder Dreyer e João Francisco Raposo (orgs.)

TRÍADE ESTRATÉGICA PARA A COMUNICAÇÃO CORPORATIVA

Como discussão introdutória, dentre os conceitos que perpassam o pensamento estratégico de comunicação de marcas nos ambientes digitais, cabe citar esta tríade: a cultura da conexão; o *groundswell*; e os micromomentos da jornada de consumo das pessoas.

No conceito de cultura da conexão, popularizado na obra de Jenkins (2014), o público realiza uma seleção de conteúdos que lhe interessam e o faz baseando-se em mensagens com as quais é impactado diariamente, transformando-as de acordo com as próprias vivências e referenciais pré-acumulados e repassando para novas audiências uma versão também nova desses conteúdos. A autoria é cada vez mais uma concepção coletiva, dinâmica e condicionada a contextos. A mensagem precisa ser atrativa para gerar interesse de apropriação por terceiros. Nas palavras de Jenkins, se um conteúdo não tem potencial de gerar conversa e ser compartilhado, já nasce fadado a ser irrelevante. Segundo esse pensamento, o sucesso da comunicação contemporânea se cunha numa condição inegociável: ser relevante para a audiência, com conteúdos adaptáveis a contextos, plataformas e formatos demandados pelo público.

Isso porque os estímulos são vivenciados com intensidades diferentes conforme os referenciais culturais e cognitivos de cada indivíduo – ou seja, a bagagem que cada pessoa traz consigo interfere de modo direto na forma como ela se relaciona, interpreta, dá significado e compartilha o mundo a sua volta. Comunicação é processo, como afirma Wolton (2006), uma relação de significado que se estabelece na troca entre emissor e receptor, não se resume ao falado e abrange o que o outro entende. Tratando-se de comunicação de marca, esse pressuposto é ainda mais sério. Se uma campanha é acusada de ser racista, homofóbica ou machista, o erro está não na compreensão do público, mas em como a mensagem foi estruturada.

Trazendo isso para o universo das marcas, fica fácil entender a motivação das empresas ao adotar em suas comunicações códigos humanizados, como falar em primeira pessoa; usar gírias e memes[1] em alta nas redes sociais digitais; passar o controle de seus canais para que influenciadores publiquem em nome delas[2]; e construir narrativas que colocam o produto ou serviço como coadjuvantes de um enredo centrado sobretudo no consumidor.

Já o conceito de *groundswell*, de Li e Bernoff (2009), pressupõe que as pessoas preferem recorrer à tecnologia e a interlocutores não oficiais para resolver problemas de consumo (aquisição, informação ou reclamação). Isso não significa que inserções em mídia de massa (como anunciar num comercial do *Jornal Nacional*, da Rede Globo) sejam irrelevantes na comunicação com possíveis clientes. Contudo, deixam de ser as únicas frentes que movem o ponteiro de vendas. A complementariedade de conteúdos na lógica de funil de mensagem precisa ser cruzada com um pensamento de canais e interlocutores, sobretudo dando espaço à experiência de outros clientes. A decisão de adquirir um plano de telefonia, por exemplo, pode envolver o impacto do comercial na televisão, mais um vídeo comparativo de aparelhos no canal de um influenciador especializado em tecnologia e as leituras de reclamações e elogios de desconhecidos em canais como Reclame Aqui e Twitter. Em face dessa demanda de muitos canais e porta-vozes não oficiais de endosso de marca para convencer consumidores, ganha ainda mais força o investimento das empresas em embaixadores e experiências que evidenciem opiniões favoráveis ao produto ou serviço. A facilidade de acesso aos meios traz mudanças que não devem ser ignoradas. Podemos ser consumidores e, ao mesmo tempo, produtores de conteúdo. Segundo Shirky (2012), o conteúdo gerado pelo usuário é não uma teoria sobre a capacidade criativa ou ferramental das pessoas de produzirem materiais, e sim uma teoria social da relação com a mídia. Pode-se portanto dizer que, com o fenômeno do *groundswell*,

---

1. "O meme seria a unidade informacional que passa de um cérebro para outro por imitação e está sujeita a todos os fatores que acometem o próprio gene, como seleção natural, hereditariedade e a questão do 'egoísmo', ao qual o autor [Richard Dawkins] dedica sua obra [*O gene egoísta*]" (Corrêa, Sousa e Ramos, 2009, p. 214).
2. No mercado de comunicação de marcas, é comum uma pessoa com grande audiência no digital postar conteúdo nos canais da marca, como se tivesse invadido e/ou se apropriado temporariamente daquele espaço (a expressão popular usada para essa prática é *takeover*).

ganham força comportamentos colaborativos em rede, numa espécie de inteligência social clusterizada e dinâmica. Apesar de terem mais de duas décadas, as palavras de Lévy (1999, p. 29), "ninguém sabe de tudo, e todos sabem alguma coisa", traduzem a fluidez do endosso dessas audiências complexas que as marcas estão se esforçando para conquistar.

Para completar a tríade, a estratégia de marca precisa olhar de uma nova forma temporal a jornada do consumidor. Além de levar em conta a jornada de compra do produto em si (a qual é diferente para cada segmento; a decisão de compra de um xampu, por exemplo, é mais breve do que para a compra de um automóvel), precisa considerar os momentos de maior atenção ao longo do dia e/ou de favorecimento de consumo. É importante investigar os canais de maior retenção; os formatos mais engajadores; e a frequência considerada agradável e, ao mesmo tempo, suficiente para lembrar a mensagem.

Horários nobres genéricos vão sendo substituídos por audiências avançadas no quesito comportamental, mais do que no demográfico. É menos sobre estar online – afinal, quando não estamos? – e mais sobre estar aberto a receber determinada mensagem de marca. Em tese, um adolescente da classe C que reside em um grande centro passa a maior parte do dia com

Figura 1. Estratégia de canais, mensagens e porta-vozes, mesclando racional de funil de compra, geração de conversa e ativação de endosso especializado

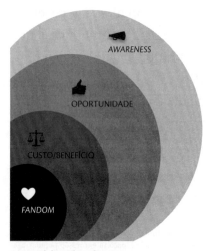

CONHECIMENTO DE QUE EXISTE ALGO (*AWARENESS*)
Formatos de mídia de impacto (foco em alcance e rentabilidade).
Testes A/B para identificar clusters potenciais.
Porta-vozes com audiência elevada (atuação como mídia).

CONSTRUÇÃO DE PERCEPÇÃO DE VALOR (OPORTUNIDADE)
Mídia que explora audiências avançadas.
Narrativas que exploram as pistas sociais deixadas pelo público.
Porta-vozes com audiência mediana e alguma relevância no segmento (endosso).

ESTÍMULO DE ENVOLVIMENTO (CUSTO/BENEFÍCIO)
Formatos de mídia de conversão.
Reforço de mensagem de vantagens financeiras ou qualidade.
Porta-vozes especializados com credibilidade e alto poder de engajamento.

OFERTA DE ALGO EXCLUSIVO, IMPAGÁVEL (*FANDOM*)
Transmitir a sensação de comunicação *one-on-one*, personalizada.
Conteúdos com apelo de compartilhamento que represente moeda social.
Reforço do sentimento de pertencimento a uma "comunidade".

Fonte: elaborado pela autora.

acesso à internet. Entretanto, tem jornada repleta de afazeres não necessariamente prazerosos (escola, atividade física etc.). Uma marca invadir o cotidiano dele num momento de estresse pode fazê-la ser vista como invasiva e, provavelmente, refutada. No entanto, as chances de impacto positivo aumentam se a marca participar de modo fluido no conteúdo de um influenciador querido pelo adolescente – conteúdo para o qual o jovem definirá a hora de acessar. Segundo uma pesquisa da MindMiners (startup de tecnologia especializada em pesquisa digital), 93% das pessoas ouvidas já tinham visto influenciadores divulgar produto ou serviço, e 45% disseram ter comprado produto ou serviço indicado por influenciadores (Guimarães, 2018). A construção da jornada do consumidor ajuda a entender os pontos de contato e as narrativas com maior poder de conexão com o público. Em vez de impactar onde ele está, trata-se de impactar quando e como ele quer ser impactado e fazer isso com conteúdo relevante.

CONSUMIDOR PROTAGONISTA

O papel de protagonismo do consumidor nas narrativas de marca é um direcional estratégico que vem ganhando cada vez mais espaço nas empresas, independentemente do tamanho da corporação. Discursos como "a melhor escola de inglês" vão sendo atualizados para "a escola de inglês para quem tem pouco tempo e precisa estudar em horários flexíveis". Num contexto de consumidor empoderado, o superlativo deixa a marca mais exposta do que favorecida. A vulnerabilidade de uma empresa em algum quesito, se trabalhada com responsabilidade e estratégia, não afugenta clientes – ao contrário, direciona as pessoas que terão experiência favorável na condição de consumidoras. Considerando a fórmula da Coca-Cola, por exemplo, parece pouco provável que o refrigerante faça parte da dieta de um atleta. Contudo, para pós-prova de alto impacto, é uma recarga eficaz de glicose. Já para os amantes de festivais de música, pode ser bebida refrescante e, no passeio de final de semana, a indulgência que completa o momento de lazer. É não a negação dos pontos frágeis do produto (no exemplo, o elevado teor de açúcar), mas uma forma empática de responder a tensões do

Carolina Terra, Bianca Marder Dreyer e João Francisco Raposo (orgs.)

consumidor com o produto tal qual este é. Para abraçar tais situações, uma assinatura semanticamente flexível e adaptável: "Abra a felicidade".

Na Figura 2, fica mais claro como a construção narrativa da comunicação de marcas pode acontecer com base em tensões de seus consumidores. O primeiro passo é cruzar objetivos corporativos e características do produto ou serviço para definir o melhor enredo. A narrativa pode resultar num conteúdo "útil" ou "moeda social". Conteúdos tutoriais são exemplos de materiais úteis com que as marcas compartilham conhecimento e, ao mesmo tempo, podem provocar vendas (por exemplo, marca de alvejante mostrando como tirar manchas difíceis ou, ainda, marca de produtos de beleza promovendo vídeos de maquiagem em canais de influenciadoras de moda). Moedas sociais são conteúdos que resultam em status ou visibilidade nos grupos em que a pessoa interage. É, nos termos de Berger (2014, p. 31), uma notabilidade interior que alavanca "uma mecânica de jogo para dar às pessoas formas de alcançar símbolos de status visíveis que elas possam mostrar aos outros". Uma marca de entretenimento compartilhar cenas

Figura 2. Produção de conteúdo para marcas pela óptica do consumidor no centro

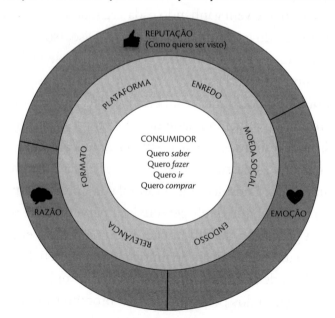

Fonte: elaborado pela autora. Publicado originalmente em Rodrigues (2018).

inéditas de uma minissérie de grande audiência é exemplo de informação que se transforma em repertório nas redes sociais.

Com o enredo claro, os estrategistas precisam definir os canais e plataformas para veicular as mensagens concebidas, bem como os melhores formatos para garantir a atenção ao conteúdo e a compreensão e lembrança do que foi comunicado a cada público-alvo. Uma pesquisa da MindMiners sobre consumidores maduros revelou que 82% daqueles com mais de 50 anos apontam o celular como dispositivo mais utilizado para acessar conteúdos de influenciadores; para acompanhar as novidades, 71% desse público recorre ao Instagram, 60% ao YouTube e 48% ao Facebook (Mathias, 2019). Para uma audiência mais jovem, entram no páreo outras plataformas, como TikTok e Twitter. No que tange aos formatos, a diversidade de opções demanda igualmente estudo: dependendo da marca em questão, o mais eficaz pode ser a publicação de um vídeo, uma transmissão ao vivo ou (para assuntos de maior complexidade) até infográficos. Outra variável é o porta-voz das mensagens. Como vimos, nem sempre apenas fontes oficiais dão conta de construir aprovação junto ao público. Exemplo: o endosso de um especialista em cinema, somado ao dos críticos tradicionais da imprensa, contribui para o sucesso de bilheteria.

É importante ter ainda em mente a aprovação volátil dos consumidores, que hoje estabelecem uma relação infiel com as marcas, sendo mais críticos e mais cientes de que podem influenciar outros compradores. O empoderamento se dá, em especial, por duas condições: o poder de escolher, pois há muita oferta de produtos e vasta informação sobre eles; e o poder de opinar sobre produtos e campanhas publicitárias – veredictos que, com as tecnologias da informação, são transmitidos a uma velocidade e um alcance expressivos.

ESTRATÉGIA DE COMUNICAÇÃO DE MARCAS PASSO A PASSO

Além de considerar a dinâmica das plataformas digitais sociais já discutidas (tríade cultura da conexão, *groundswell* e micromomentos) e o papel

Carolina Terra, Bianca Marder Dreyer e João Francisco Raposo (orgs.)

de protagonismo do consumidor, a estratégia de comunicação para marcas não pode se resumir a listas de canais nem a ações esporádicas. Por mais assertivas que sejam as escolhas das plataformas ou ativações, a construção de valor de marca pressupõe constância, rastro e verdade. A presença inconstante demanda o trabalho de se reapresentar a cada vez, com novo esforço de mídia para gerar atenção inicial. Por isso, é importante estruturar um planejamento a curto, médio e longo prazo e criar um plano que comece pequeno, mas sustentável, e possa ser expandido ou desdobrado, avaliando as consequências e demandas das estratégias propostas. Além disso, é preciso olhar para a concorrência a fim de entender o mercado e tirar lições – de modo não a imitar, mas a encontrar abordagens singulares para se comunicar, diferenciando-se do tom de seus concorrentes diretos. Duas lojas de departamento com mix de produtos similares – Ponto e Magalu – são exemplos da atuação nessa lógica. O Ponto aposta numa linguagem de humor, com o uso de mascote (o Pin) que relaciona produtos a memes mais descontos no Twitter. Já o Magalu recorre a uma linguagem maternal e carregada de dicas para uma casa funcional e adequada a diferentes perfis de família, contando com a influenciadora virtual Lu, que aparece de modo cada vez mais "humanizado" nos conteúdos.

Quando se pensa numa marca B2C, a linha do tempo de atuação de comunicação pressupõe equilíbrio entre o conteúdo publicado regularmente e as ativações esporádicas. O conteúdo conhecido nas empresas como *always-on* compõe-se, por exemplo, de publicações recorrentes nos canais da marca ou peças de mídia em portais com link de destino para o e-commerce. Um segundo corredor (também perene, mas com periodicidade dependente do contexto) é composto de publicações baseadas em acontecimentos em tempo real, modalidade que responde a fatos não previstos mas oportunos aos objetivos da marca (a baixa do dólar para uma escola de intercâmbio ou a conquista de um título para um surfista patrocinado por grife de roupa são exemplos de contextos que podem ser explorados pelas marcas de modo repentino). O terceiro caminho é a atuação de um profissional que se relaciona com o consumidor e que no mercado intitulam gestor de comunidades (*community manager* é o termo mais

Comunicação organizacional

usual). Cruzando de modo transversal esses três corredores de conteúdo, há as campanhas e projetos especiais, em geral demandando o maior investimento de mídia e produção da marca.

Figura 3. Conteúdo estratégico de marcas para o consumidor final B2C

Fonte: elaborado pela autora.

Para que fique mais fácil estruturar o planejamento de comunicação de marcas, proponho um passo a passo dos elementos que compõem o caminho estratégico de atuação nas plataformas digitais sociais (Figura 4). O sentido de leitura desse canvas é de cima para baixo e da esquerda para a direita.

Figura 4. Canvas para construir um planejamento estratégico de comunicação de marca

Arquétipo (Alma da marca: valores, postura e crenças)		Tom de voz (Personalidade da marca: como fala e interage com o público)
Target (da marca e/ou da campanha)		
Objetivo de negócio		
Objetivo de comunicação		
Conceito estratégico		
Conceito criativo	Mapa de canais e principais formatos (conteúdo + mídia)	Métricas de suporte e KPIs
	Projetos especiais de mídia, creators e branded content	
	Direcional de relacionamentos e SAC	
	Otimizações em tempo real da estratégia narrativa e da estratégia de mídia	

Fonte: elaborado pela autora.

O primeiro bloco – arquétipo e tom de voz – é composto de definições que devem guiar a marca como um todo, não se alterando de campanha para campanha. De modo sucinto, pode-se dizer que o arquétipo é a alma da marca, o que determina a forma pela qual ela se posiciona no mundo (otimista, inovadora, informativa, aventureira etc.). O tom de voz é como essa marca se expressa (tempo verbal, gírias, expressões e hashtags). Outra informação que costuma vir no pedido do cliente é o público-alvo da comunicação que será executada. Nesse ponto, é importante que o estrategista esteja alinhado com a equipe de mídia para evitar que as frentes sejam amplas demais e a mensagem acabe não chegando de modo consistente a quem deveria (alcance baixo ou frequência insuficiente para as mensagens serem lembradas pelo público).

Em seguida, é preciso ter claro o objetivo de negócio, ou seja, a necessidade que a empresa quer atender com o plano. Em geral é um desafio numérico – aumentar em 10% o número de novos consumidores, por exemplo, ou em 5% o ticket médio. É o cliente quem determina essa missão. O planejador então define qual estratégia de comunicação (objetivo de comunicação) ajudará a responder a essa demanda ou parte dela (por exemplo, reduzir a tantos por cento a taxa de sentimento negativo nas redes sociais digitais, para se tornar um canal de positivação de negócio).

Tendo definido como a marca é (arquétipo e tom de voz), seus desafios (de negócio e comunicação) e com quem se quer falar, é hora de mergulhar nos cenários macro e microambientais da corporação e do produto ou serviço para compreender fragilidades, fortalezas, oportunidades, possíveis novos grupos de consumidores e gatilhos de engajamento ou de crise. Analisar com isenção os contextos nos quais a tomada de decisão de consumo acontece é fundamental para estabelecer diagnósticos precisos e, em consequência, endereçar ativações eficazes. A inteligência de dados digitais sobre o comportamento do consumidor e do segmento – levantando elementos como a forma de interação nos diferentes canais de comunicação ou a análise de reputação nos ambientes digitais – e o conhecimento de boas práticas para gerar conversas e aprovação do público são bases do trabalho nesse momento do canvas.

Uma vez identificado um caminho estratégico para seguir, é importante embalá-lo em assinaturas que possam ser simpáticas aos consumidores. O e-commerce Netshoes, por exemplo, tem por caminho estratégico comunicar-se com atletas amadores, mas explicitar isso não seria motivador para consumidores que, ao calçar o tênis do ídolo do atletismo, sentem-se um pouco atletas competitivos também. A mensagem usada na comunicação é "sem limite entre você e o esporte", conectando-se ao público desejado sem fazer falsas promessas de alta performance. A escolha dos canais para veicular e os clusters de mídia ajudam no direcionamento do público desejado. Já a Coca-Cola tem por caminho estratégico estimular a indulgência, porque racionalmente não há motivação para o consumo do refrigerante. Como caminho criativo, a lendária assinatura "abra a felicidade".

Na definição do caminho estratégico e, depois, do criativo, convém ponderar sobre:

1. Pluralidade. O enredo certo agrada a um público maior.
2. Consistência. Precisa funcionar a médio prazo, respeitando os valores da marca.
3. Forma. Histórias bem contadas emocionam, geram comentários e podem transformar uma situação corriqueira em algo épico.
4. Ineditismo. Surpreender o público pode ser um recurso para obter memorabilidade.
5. Ganha-ganha. Colocar o produto ou serviço como parte da solução para uma tensão já existente na vida do consumidor, sendo útil para ele e, ao mesmo tempo, para a marca.

Estabelecidos o conceito estratégico e o criativo, é o momento de escolher os canais mais indicados para contar a história de que a marca precisa. Como vimos, plataformas de grande audiência nem sempre são a resposta mais assertiva. O ambiente digital, em que as pessoas deixam rastros sociais a todo instante, é perfeito para definir com clareza os formatos, recursos e linguagens mais propensos a gerar conversas e negócios.

Projetos especiais de conteúdo, ou ativações que envolvam influenciadores, devem complementar a estratégia. O porte deles depende do capital da marca.

O próximo momento do canvas é o direcional de SAC e relacionamento. Tanto a comunicação prevista nos canais da marca como os projetos especiais (se bem-sucedidos) geram interações. Por isso, é preciso estabelecer previamente formas de interagir nos casos quer de reclamações, quer de reações positivas.

Cada frente deve estar atrelada a objetivos claros: métricas e indicadores-chave de performance (KPIs). Métricas são números que medem uma ação ou comportamento. Servem para avaliar se a condução do que foi originariamente proposto está sendo feita de modo adequado. Os KPIs são métricas elevadas a posição de destaque por estarem diretamente relacionadas aos objetivos de negócio. Em geral se observam dezenas de métricas, mas apenas uma ou duas são fixadas como KPIs. Cuidado com métricas de vaidade: 3 milhões de visualizações de um vídeo no Facebook (onde com três segundos de exibição já se computa o view) e retenção de 10% do vídeo está longe de ser resultado favorável quando o objetivo é lembrança de marca.

O quadrante que completa o canvas – otimização em *real time* de estratégia narrativa e de mídia – é um lembrete para modelar dados a favor de decisões de comunicação e, por vezes, de negócio em temporalidades pautadas no imediatismo e na relevância da conversa. Variáveis contextuais podem sofrer alterações e comprometer a eficácia da estratégia inicial. É importante revisitá-la com regularidade e não desconsiderar resultados preliminares, mas tampouco tomar medidas efusivas sem diagnóstico cuidadoso, sendo necessário distinguir entre exceção e padrão – ou entre esparsas reclamações e uma volumetria que configure crise.

CONSIDERAÇÕES FINAIS

Não existe receita para se pensar a estratégia de comunicação de marca, sobretudo considerando a complexidade de agentes que influenciam o processo de produção, reverberação e absorção de mensagens para e pelo público. Neste texto, contudo, levantaram-se algumas premissas que ajudam a desbravar pontos centrais na construção das narrativas – como a ferramenta de arquétipos e personas, os elementos de potencialização de conversas e engajamento – no caso de influenciadores – e, ainda, a importância da complementariedade de meios para construir um ecossistema de comunicação que seja plural e, ao mesmo tempo, traga potencial de atingir públicos com necessidades singulares, tendo sempre por guia objetivos de negócio. A comunicação de marca orientada por dados, desde o diagnóstico de contexto até objetivos claros (KPIs), é condição inquestionável.

REFERÊNCIAS

BERGER, J. *Contágio: por que as coisas pegam*. Trad. Lúcia Brito. Rio de Janeiro: LeYa, 2014.

CORRÊA, E. S.; SOUSA, A. de A.; RAMOS, D. O. "O estudo das redes sociais na comunicação digital: é preciso usar metáforas?" *Estudos em Comunicação*, n. 6, dez. 2009, p. 201-55. Disponível em: <http://www.ec.ubi.pt/ec/06/pdf/elizabeth-correa-redes-sociais.pdf>. Acesso em 5 de junho de 2021.

GUIMARÃES, L. "O poder da influência". *Consumidor Moderno*, n. 242, dez. 2018--jan. 2019. Disponível em: <https://digital.consumidormoderno.com.br/o--poder-da-influencia-ed242/ >. Acesso em 10 de janeiro de 2020.

JENKINS, H. *Cultura da conexão: criando valor e significado por meio da mídia propagável*. Trad. Susana Alexandria. São Paulo: Aleph, 2014.

LÉVY, P. *Cibercultura*. Trad. Carlos Irineu da Costa. São Paulo: 34, 1999.

LI, C.; BERNOFF, J. *Fenômenos sociais nos negócios: groundswell*. Trad. Sabine Alexandra Holler. Rio de Janeiro: Elsevier, 2009.

MATHIAS, L. "Maduros e digitais: novos comportamentos dos 50+". MindMiners Blog, 4 jun. 2019. Disponível em: <https://mindminers.com/blog/maduros--e-digitais>. Acesso em 10 de janeiro de 2020.

RODRIGUES, D. "Narrativas de marcas no ambiente digital: um híbrido de formatos e linguagens dos mundos da publicidade e do editorial". Intercom – Sociedade Brasileira de Estudos Interdisciplinares da Comunicação. 42º Congresso Brasileiro de Ciências da Comunicação, Joinville, 2018. Disponível em: <http://www.intercom.org.br/sis/eventos/2018/resumos/R13-2281-1.pdf>. Acesso em 10 de janeiro de 2020.

SHIRKY, C. *Lá vem todo mundo: o poder de organizar sem organizações*. Trad. Maria Luiza X. de A. Borges. Rio de Janeiro: Zahar, 2012.

SILVEIRA, S. A.; AVELINO, R.; SOUZA, J. *A sociedade do controle: manipulação e modulação nas redes digitais*. São Paulo: Hedra, 2018.

WOLTON, D. *É preciso salvar a comunicação*. Trad. Vanise Pereira Dresch. São Paulo: Paulus, 2006.

13. MARCAS COMO AGENTES DE SENTIDO

Eric Messa

ESTAMOS VIVENDO EM OUTRO MUNDO

É fato: se comparamos com épocas anteriores, o modo pelo qual as pessoas se organizam, pensam e interagem mudou muito. No campo da comunicação, isso acarreta enormes consequências.

Décadas atrás, os núcleos familiares não eram fragmentados em múltiplas configurações como agora. O emprego era mais estável. Os meios de comunicação estavam concentrados em poucos canais. Esses são apenas alguns exemplos. A cultura digital transformou o modo como as pessoas consomem informação. Trata-se não apenas da agilidade na distribuição, mas também da relação do indivíduo com o meio.

Deixamos de lado o consumo passivo em frente à TV ou ao jornal impresso e passamos, com as telas digitais, a adotar comportamento mais ativo. No celular ou no computador, não basta ligar para que a informação comece a fluir; é necessário interagir, fazer escolhas.

Esse comportamento ficou mais evidente durante a crise mundial da Covid-19, mas já era vivenciado antes. Segundo estudo realizado em 2019 por uma parceria entre o Núcleo de Inovação em Mídia Digital da Fundação Armando Álvares Penteado (Faap) e a empresa de tecnologia MindMiners, uma amostra de 1.000 brasileiros de diferentes regiões demonstrou que as pessoas se atualizam sobretudo pelas redes sociais (80%) e, em seguida, pela televisão (68%) (Alvarez, Costa e Messa, 2019). Hoje se consomem notícias nas redes sociais e depois se consulta a televisão para confirmar e validar.

Quando se trata exclusivamente das plataformas sociais, a pesquisa mostrou que o aplicativo mais utilizado no cotidiano dos brasileiros era o WhatsApp (98%). Em seguida apareceram o Facebook e o YouTube, com 86% dos respondentes, e o Instagram, com 78%.

Fica claro, portanto, que houve não só uma mudança tecnológica que possibilitou substituir os suportes físicos pelos digitais, mas também uma transformação de comportamento no consumo de informação, já que, como vimos, 80% das pessoas declararam usar as redes sociais para receber notícias. Ou seja, não se consome mais informação apenas lendo o jornal pela manhã ou vendo o telejornal à noite. Notícias são consumidas a todo momento, ao longo do dia, nos aplicativos e plataformas sociais.

Esse novo comportamento ressignifica as próprias plataformas. O YouTube, por exemplo, não é só plataforma de entretenimento audiovisual. É também local de pesquisa e, por isso, importantíssimo para entender o comportamento de consumo.

Seria ingênuo, porém, pensar que as mudanças que vivenciamos advieram exclusivamente do avanço tecnológico e, com ele, do surgimento do meio digital. Há algo mais complexo que vem transformando também nossa cultura. Um processo de evolução social que, nos últimos tempos, teve um momento bastante transformador e até revolucionário, como veremos a seguir.

A PULVERIZAÇÃO DAS REFERÊNCIAS

O psicanalista e psiquiatra Jorge Forbes chega a dizer que habitamos hoje um novo lugar, pois antes nossa sociedade tinha sempre se baseado num modelo patriarcal e agora estamos desconectados daquela referência de ordem vertical.

Esse pensamento vai ao encontro da ideia de modernidade líquida, como a denominou o sociólogo Zygmunt Bauman (2001), e pode ser relacionada ao pensamento de uma organização horizontal, conforme já sugerido por Forbes (2012).

O pensamento é simples: se valores que antes eram valiosos e rígidos (família, religião, governo etc.) estão agora pulverizados, então já não há referências fortes e verticalmente superiores que orientem os indivíduos de maneira tão incisiva e rígida. Em tal cenário, eles passam a assumir total responsabilidade por suas decisões cotidianas.

Nessa conjuntura, segundo Forbes, não há também futuro calculável. Antes o mundo era padronizado e previsível, hoje não mais. Corrobora esse pensamento o filósofo israelense Yuval Noah Harari (2018): "Até agora, ideologias modernas, cientistas e governos nacionais não conseguiram criar uma visão viável para o futuro da humanidade". O que resta ao indivíduo é inventar seu futuro a cada momento.

Fica um vazio. Sem referências sólidas, a angústia é inevitável. O período que vivemos em meio à pandemia da Covid-19 é prova disso, e, como veremos mais à frente, as empresas se aproveitam de tal sentimento elaborando uma comunicação em que suas marcas aparecem como agentes de sentido, ou seja, como agenciadores ou intermediários que auxiliam o indivíduo na busca de algo que oriente suas decisões cotidianas.

Neste capítulo, partimos da ideia de que o próprio consumo em excesso é um alívio para a angústia do indivíduo. Forbes (2012, p. xvii) diz que "o homem moderno, diferentemente do homem antigo, foi privado da ética da moderação e do uso regulado dos prazeres". Para complementar, Bauman (2007, p. 111) afirma:

> A sociedade de consumo não é nada além de uma sociedade do excesso e da fartura – e portanto da redundância e do lixo farto. Quanto mais fluido é o ambiente de suas vidas, mais os atores precisam de objetos potenciais de consumo […] O excesso, contudo, aumenta a incerteza das escolhas que se esperava que ele eliminasse ou, pelo menos, aliviasse ou reduzisse – e assim o excesso nunca é suficientemente excessivo.

Quanto às decisões cotidianas nessa sociedade líquida de organização horizontal, o jovem não se vê mais obrigado a seguir orientações dos pais nem de nenhuma entidade acima dele para, por exemplo, escolher a carreira profissional. Forbes (2012, p. 43) explica:

> O que queremos realçar é a presença do pai como ideal identificatório, elemento principal em todas as formas de laço social do século 20. Já no século 21 não se pode mais conceber a função do pai assim. De um lado, porque

é evidente que o pai na contemporaneidade não é o suporte das insígnias do ideal identificatório. É consenso que esse pai patriarca, senhor todo-poderoso, não existe mais.

Ou seja, a opinião dos pais ainda tem valor, mas não é mandatória. Nasce assim um novo entendimento de sociedade, em que decisões são tomadas depois da validação com os pares (organização social horizontal).

Na passagem da ordem vertical à horizontal, há um enfraquecimento das funções verticais do pai, do patrão, da pátria. Como a pessoa toma decisões, então? Destituída de uma ordem geral a que se submeter – um Outro –, ela precisa encontrar nova referência, uma referência fruto do contato com os "outros", seus iguais. Ela precisa fazer um cálculo coletivo de suas circunstâncias – percebendo uma lógica que não se completa por si, que depende do tempo e do movimento dos outros para se estabelecer. (*ibidem*, p. 129)

A validação com pares é um comportamento que emerge desse cenário em que o indivíduo se vê sozinho, com total responsabilidade por seus passos, mas sem nenhum direcionamento de uma entidade superior. Como já se mencionou, é uma condição que naturalmente gera grande angústia. A solução para essa angústia é compartilhar as decisões cotidianas com indivíduos que são não uma referência superior, e sim iguais, e que, como iguais, podem validar aquelas decisões.

"Ressoar permite o laço social baseado na articulação de monólogos" (Forbes, 2012, p. 82). Quando levamos esse contexto para as plataformas digitais, vemos intensa exposição da vida cotidiana. É o indivíduo expondo seus pensamentos, ressoando e articulando monólogos, como diz Forbes, em busca da validação de seu discurso entre os pares. É essa validação o que legitima a exposição do indivíduo nas redes.

Nossa proposta é refletir sobre o relacionamento de uma empresa com os consumidores. Pelo aspecto da comunicação organizacional, o cenário apresentado até aqui cria um lugar novo em que as marcas começam a participar de conversas públicas e articuladas, seja com base em discursos próprios que incentivam os usuários a falar delas, seja por meio de indivíduos selecionados para ser porta-vozes das mensagens das marcas.

A PESSOA COMUM E OS MICROINFLUENCIADORES

Aquele novo contexto social tem grande impacto: a opinião de uma pessoa comum ganha extremo valor, como veremos.

Quanto à imagem de uma empresa, hoje a opinião sobre um produto ou marca ganha mais valor quando é expressa não pela própria organização, mas por aquele indivíduo comum. O Trust Barometer evidencia esse fato[1]. Na edição de 2021, ele mostra que a opinião de "uma pessoa como você" sobre as empresas é classificada como "muito/extremamente confiável" por 74% dos respondentes. Já a de um especialista técnico da empresa é "muito/extremamente confiável" para 65% das pessoas. O CEO suscita confiança muito ou extremamente alta de somente 47% das pessoas, e os outros diretores chegam a 46% (Edelman, 2021, p. 28).

O indivíduo considerado um igual pelo consumidor tem, portanto, opinião mais valorizada do que a do CEO, diretores ou funcionários. Surge assim o fenômeno dos criadores de conteúdo (*creators*), influenciadores digitais e microinfluenciadores nas diversas plataformas sociais digitais. Em muitos casos (mas não todos), são personagens que, embora tenham grande audiência em seus canais, buscam manter identidade mais próxima daquela de uma pessoa comum do que daquela de um especialista verticalmente superior aos indivíduos que fazem parte de sua rede. Essa característica é visível sobretudo nos chamados microinfluenciadores, em geral indivíduos de determinada comunidade que têm grande popularidade nas redes mas não chegam a alcançar audiência maciça; a empresa de tecnologia Influency.me considera microinfluenciador quem tem entre 10 mil e 100 mil seguidores em seus canais nas plataformas sociais (Influency.me,

---

1. O Edelman Trust Barometer é um estudo realizado pela Edelman, agência internacional de relações públicas, e mede os índices de confiança nos governos, empresas, ONGs e mídia. Na edição de 2021, a pesquisa ouviu mais de 33 mil pessoas em 28 países. O relatório referente ao Brasil está disponível em: <https://www.edelman.com.br/sites/g/files/aatuss291/files/2021-03/2021%20Edelman%20Trust%20Barometer_Brazil%20%2B%20Global_POR_Imprensa_1.pdf>. Acesso em 23 de março de 2021.

2019). Tem mais seguidores do que a média dos demais integrantes da mesma comunidade, mas não deixa de ser uma pessoa comum como qualquer outro usuário.

Sendo assim, microinfluenciadores podem ser classificados como especialistas naquele segmento de que trata uma comunidade de marca e – por que não? – ser considerados um de seus pares, "uma pessoa como outra qualquer". Têm então forte engajamento naquela comunidade, tornando-se entes valiosos para organizações que dependem dos consumidores para repercutir sua mensagem de marca, em especial na rede.

A RELEVÂNCIA DOS *CREATORS*, INFLUENCIADORES DIGITAIS E MICROINFLUENCIADORES

Tal contexto abrange a comunicação em rede distribuída pelos próprios usuários e foi estudado pelo teórico americano Henry Jenkins no livro *Cultura da conexão: criando valor e significado por meio da mídia propagável* (Jenkins, 2014). Nesse ambiente, passa a ser importante considerar estratégias para garantir a propagabilidade de determinado conteúdo informacional. Assim, a propagabilidade pode ser compreendida como o potencial que um conteúdo tem para se espalhar pela rede de maneira espontânea.

> Os criadores bem-sucedidos compreendem os aspectos estratégicos e técnicos que precisam dominar para criar um conteúdo com maior probabilidade de propagação; e refletem sobre o que motiva os participantes a compartilhar informações e a construir relacionamentos com as comunidades que definem sua circulação. (Jenkins, 2014, p. 244)

A hipótese apresentada aqui é que *creators*, influenciadores digitais e microinfluenciadores são fundamentais para garantir tal propagabilidade, pois o discurso sobre determinada marca ou produto teria mais credibilidade vindo deles do que de uma entidade como a própria organização em seu perfil nas redes sociais digitais. A literatura clássica, lembra-nos Jenkins, já dizia que a mensagem de marca ganha mais credibilidade se compartilhada por alguém em quem se confia; assim, os criadores de conteúdo tornam-se "intermediários autenticamente populares que defendem e evangelizam" (Jenkins, 2014, p. 360).

Aqui, é importante fazer uma ressalva: quando a comunicação feita pelo influenciador digital é identificada como propaganda, ela parece perder o caráter espontâneo, diminuindo o potencial de propagabilidade. Ainda segundo o estudo da Faap e da MindMiners, quando se trata de recomendar um produto ou serviço, 38% dos respondentes julgaram pouco ou nada confiável a opinião de um influenciador digital, e apenas 22% a julgaram confiável ou muito confiável (Alvarez, Costa e Messa, 2019). (Dos respondentes, 61% tinham como confiável ou muito confiável a recomendação de professor a produto ou serviço; 57% a de amigo ou familiar; 44% a de jornalista ou veículo de imprensa; 38% a de CEO ou diretor da empresa; e, já dissemos, 22% a de influenciador digital.) A pesquisa considerou apenas o termo *influenciador digital*. Não mencionou os microinfluenciadores, que costumam ter credibilidade maior e podem eventualmente se encaixar na categoria *amigo ou familiar*.

Ainda sobre o estudo: apesar da aparente baixa credibilidade dos influenciadores digitais, 57% dos respondentes afirmaram já ter comprado algum produto baseados na opinião de um deles.

A conclusão é que, embora os criadores de conteúdo digitais não alcancem a credibilidade de alguém considerado um igual pelo consumidor, essas personagens são elementos essenciais na cultura da comunicação em rede, que é validada horizontalmente entre pares. Na relação de uma marca com seus consumidores, os influenciadores parecem ser peças-chave para estimular a propagação espontânea e, por isso, devem ser levados em conta em estratégias de comunicação (relações públicas) e marketing. No entanto, o processo de comunicação da marca é complexo e demanda também o envolvimento dos consumidores ou integrantes de uma comunidade de fãs. Diz Jenkins (2014, p. 116):

> As empresas de mídia e os profissionais de marketing devem abandonar a ilusão de que "ter como alvo" um punhado de celebridades no Twitter é tudo o que é

preciso para fazer com que uma mensagem circule globalmente. Esse modelo limita as relações significativas que um produtor ou marca podem desenvolver.

AGENTES DE SENTIDO

Outra possibilidade é a comunicação da própria empresa atuar como agente de sentido para a sociedade. A marca pode ganhar papel ativo no cotidiano do consumidor, na medida em que garante visibilidade para questões contemporâneas que são importantes para ele. Afinal, numa sociedade em que o indivíduo não se vê apoiado nem representado por instituições verticalmente superiores (o governo local, por exemplo), as marcas encontram novo espaço de significação.

Antes, vimos, tínhamos uma dinâmica vertical de organização da sociedade (Forbes, 2012). Jovens respeitavam e almejavam a posição dos pais, que, por sua vez, eram orientados por condutas determinadas pelo governo, pela Igreja etc. Essas instituições, então sólidas, são hoje extremamente frágeis ou, como diria Bauman (2001), líquidas. Não foram dissolvidas (não deixaram de existir), mas diluídas, fragmentadas em centenas de facetas menores, e estão, muitas vezes, desacreditadas. Até a instituição familiar se enfraqueceu, já que o pai e a mãe, hoje incapazes de vislumbrar um futuro estável para os filhos, deixam de ser referência segura para eles.

O vazio do qual as organizações querem se aproveitar provém dessas referências que se fragmentaram, fazendo surgir marcas com o pretenso interesse de apoiar e validar discursos que são importantes para a sociedade. Para efeito ilustrativo, podemos citar a estratégia de comunicação da marca Dove, que desde 2004, com o lançamento da campanha "Beleza real", vem trabalhando questões relacionadas à autoestima e ao empoderamento feminino. Em 2020, o vencedor do Oscar na categoria melhor curta de animação foi *Hair love*, que trata da valorização dos cabelos naturais e foi realizado com patrocínio da Dove (Diaz, 2020).

Nesse modelo de sociedade da ansiedade e da angústia gerada por tal vazio, o porto seguro passa ironicamente a ser as organizações, que, por interesse em alcançar o lucro financeiro, buscam demonstrar empatia com o consumidor para identificar e satisfazer algum dos desejos dele e, assim, ter em troca sua fidelidade eterna. Forbes observa esse movimento em relação à cultura: "Hoje, as empresas descobrem que são elas mesmas geradoras de cultura. Vêm ocupar o lugar de organizadores culturais que os Estados tinham e perderam quando se transformaram em simples agências de serviços" (Forbes, 2012, p. 129).

As pessoas têm então seus anseios e expectativas atrelados às marcas com as quais se identificam, depositando nelas confiança maior do que em instituições tradicionais como o governo, as Igrejas ou os próprios pais. Segundo o Trust Barometer 2021, 60% dos brasileiros entendem que é papel dos CEOs liderar mudanças importantes e não esperar que o governo as faça, e 68% concordam que CEOs deveriam interceder quando o governo não resolvesse problemas da sociedade (Edelman, 2021). Também no estudo Faap-MindMiners, 64% dos respondentes acreditavam ser dever das organizações defender causas e atender a necessidades da sociedade (Alvarez, Costa e Messa, 2019).

O que aconteceu na pandemia ilustra bem os dados apresentados até aqui. No estudo "Comunicação e mídias sociais em tempos de Covid-19", realizado em março de 2020, assinalaram-se empresas de diferentes setores – Ambev, Bayer, Bradesco, Burger King, Gerdau, Itaú e Santander, dentre outras – que, logo naqueles primeiros meses da pandemia, atuaram como verdadeiros agentes de mudança pela causa do combate à doença (Messa, 2020).

CONSIDERAÇÕES FINAIS

Estamos num momento muito particular da sociedade. Ao longo das últimas décadas, os consumidores adquiriram mais maturidade e mais senso crítico em relação ao papel das marcas e da comunicação, bem como alcançaram, graças ao meio digital, alguma emancipação dos meios tradicionais de massa. Em paralelo, nossa sociedade perdeu suas referências e passou a viver um ambiente de mais instabilidade quanto ao futuro.

Nesse novo panorama, o público detentor do poder de repercussão nas redes sociais digitais ganha status diferente daquele de época anteriores, o que tem sido um desafio para as marcas. Sobreviverão aquelas que, afora obter lucro, conseguirem oferecer à sociedade algum benefício real que vá além do produto. "Um produto, além de responder à necessidade, tem que contar uma história" (Forbes, 2012, p. 130).

O que dá hoje sentido ao consumidor é essa história, e não os diferenciais racionais de um produto ou serviço. A narrativa ganha extremo valor, e Harari (2018) lembra que se trata de pura ficção: "As narrativas que nos proveem de sentido e identidade são todas ficcionais, mas os humanos precisam acreditar nelas". O propósito dessa busca de sentido é escapar da angústia, como pontuou Forbes (2012), ou do sofrimento, como explicou Harari (2018):

> A grande questão que se põe para os humanos não é "Qual o sentido da vida?", mas "Como acabar com o sofrimento?" Se abandonar as narrativas ficcionais, você será capaz de observar a realidade com muito mais clareza que antes e, se realmente conhecer a verdade sobre você mesmo e sobre o mundo, nada poderá deprimi-lo. Mas, é claro, é mais fácil falar do que fazer. Nós, humanos, conquistamos o mundo graças a nossa capacidade de criar narrativas ficcionais e acreditar nelas. Somos, portanto, particularmente ruins em perceber a diferença entre ficção e realidade. Ignorar essa diferença tem sido para nós uma questão de sobrevivência. Porque a coisa mais real no mundo é o sofrimento.

Aquele que até aqui temos denominado consumidor é, vale lembrar, possivelmente só parcela da população brasileira. O que foi exposto faz sentido para aquele indivíduo que pode usufruir do avanço tecnológico ocorrido no mundo. Mais: do ponto de vista do filósofo Luiz Felipe Pondé (2017), é um consumidor de significados que vê nas ações sociais uma forma de realização pessoal egocêntrica:

> [...] é o consumidor consciente do futuro. Munido da maior quantidade de riqueza material e moral até agora disponível no mundo, identificado como supremo

ser que escolhe tudo livremente à sua volta, saturado de mecanismos de informação, obcecado pela própria segurança material, focado em sua saúde física, mental e espiritual e deslocando-se à "velocidade da luz", esse *self* recusará toda e qualquer forma de vida que não levar em conta seu anseio utilitarista de bem-estar. (p. 47)

O histórico do intervalo comercial do Super Bowl (evento esportivo americano que tem uma das maiores audiências televisivas do planeta) é exemplo das mudanças de que falamos. Ao longo dos últimos anos, cresceu o número de marcas que passaram a usar o intervalo mais caro do mundo não para evidenciar diferenciais de seus produtos, mas para fazer ações de comunicação relacionadas a alguma questão social contemporânea. Para citarmos uma delas: em 2018, a Budweiser veiculou ali um filme que apresentava seu programa de doação de água para regiões que sofreram com catástrofes naturais (Budweiser, 2018). No ano seguinte, a marca falou do programa de conversão de suas fábricas para uso de energia renovável (Budweiser, 2019). Em 2020, tratou de valores como união e patriotismo, temas bastante relevantes para uma época de muita intolerância nos Estados Unidos (e no mundo).

Em 2021, após 37 anos de participações ininterruptas, a Budweiser não esteve presente no intervalo do Super Bowl. No entanto, tinha aproveitado a oportunidade para deixar sua mensagem por meio das redes sociais: uma semana antes do jogo, publicou no YouTube um vídeo para anunciar que não veicularia no Super Bowl porque o valor do comercial televisivo – cerca de 5,5 milhões de dólares – seria doado a iniciativas de combate à Covid-19 (Budweiser, 2021).

O Festival de Criatividade Cannes Lions 2019 foi outro evento em que tiveram destaque a busca das marcas por um propósito e o posicionamento em relação às questões sociais contemporâneas: dos 28 Grands Prix concedidos naquele ano, 15 tinham temática política ou social (GoAd Media, 2019).

É falacioso argumentar que empresas realizam ações sociais sem ter nenhum interesse que vise ao lucro, mas nem por isso devemos refutar boas iniciativas que, de alguma forma, colaboram com a sociedade. Nesse processo, "uma quebra nos papéis sociais padrão leva o consumidor a ser coautor do produto – ele é quem conclui o processo criativo na sua percepção e no uso singular do produto" (Forbes, 2018, p. 132).

Segundo Jenkins (2014), os consumidores estão se tornando produtores na medida em que participam não só da compra e do consumo, mas também do momento da criação do produto. Sendo assim, é evidente que as organizações continuarão a buscar o lucro, mas para isso parece haver uma condição: como vimos, há indícios de que as marcas relevantes no futuro serão aquelas que conseguirem evidenciar seu papel ativo e sua real importância no dia a dia do consumidor.

Do ponto de vista da comunicação, vale refletir sobre o papel do profissional responsável pela reputação da marca. Em essência, importa tanto como a empresa se vê quanto como as pessoas consideram a marca e como é preciso trabalhar estrategicamente esse vínculo, sempre com muita responsabilidade ética e social. Na outra ponta, emerge a necessidade de uma maturidade crítica da sociedade sobre onde depositar suas angústias.

Se hoje a opinião do consumidor sobre produtos ou marcas é a que tem maior credibilidade – e se a propagação espontânea dentro da própria audiência se dá de modo autônomo à estratégia adotada pela empresa –, faz-se essencial uma comunicação de marca que seja construída em colaboração com os consumidores e que, alcançando e transformando o cotidiano deles, não fique restrita aos limites do meio digital.

REFERÊNCIAS

Alvarez, Amanda; Costa, Thiago; Messa, Eric. "Comportamento e confiança na era das redes: a relação do indivíduo com as plataformas digitais". Faap--MindMiners, out. 2019. Disponível em: <http://bit.ly/2AJXI0O>. Acesso em 11 de janeiro de 2020.

Bauman, Zygmunt. *Modernidade líquida*. Trad. Plínio Dentzien. Rio de Janeiro: Jorge Zahar, 2001.

_____. *Vida líquida*. Trad. Carlos Alberto Medeiros. Rio de Janeiro: Jorge Zahar, 2007.

BUDWEISER. *Stand by you*. 30 jan. 2018. Disponível em: <https://youtu.be/NXDvksCZSoE>. Acesso em 23 de abril de 2021.

_____. *Wind never felt better*. 26 jan. 2019. Disponível em: <https://youtu.be/uu3p8uoJUxQ>. Acesso em 23 de abril de 2021.

_____. *Bigger picture*. 29 jan. 2021. Disponível em: <https://youtu.be/pYCmN99eogk>. Acesso em 23 de abril de 2021.

DIAZ, Ann-Christine. "*Hair love*: produção indicada ao Oscar tem patrocínio da Dove". *Meio & Mensagem*, 14 jan. 2020. Disponível em: <https://www.meioemensagem.com.br/home/midia/2020/01/14/hair-love-curta--metragem-indicado-ao-oscar-tem-patrocinio-da-dove.html>. Acesso em 6 de março de 2020.

EDELMAN. "Edelman Trust Barometer 2021". 11 mar. 2021. Disponível em: <https://www.edelman.com.br/sites/g/files/aatuss291/files/2021-03/2021%20Edelman%20Trust%20Barometer_Brazil%20%2B%20Global_POR_Imprensa_1.pdf>. Acesso em 23 de abril de 2021.

FORBES, Jorge. *Inconsciente e responsabilidade: psicanálise do século XXI*. São Paulo: Manole, 2012.

GOAD MEDIA. "White Paper Cannes Insights 2019". 3 jul. 2019. Disponível em: <https://goadmedia.com.br/insights/white-paper-principais-temas-e-tendencias-do-maior-festival-de-criatividade-do-mundo/>. Acesso em 9 de março de 2020.

HARARI, Yuval Noah. *21 lições para o século 21*. Trad. Paulo Geiger. São Paulo: Companhia das Letras, 2018.

JENKINS, Henry. *Cultura da conexão: criando valor e significado por meio da mídia propagável*. Trad. Susana Alexandria. São Paulo: Aleph, 2014.

INFLUENCE.ME. "O que são microinfluenciadores?" 1º out. 2019. Disponível em: <https://www.influency.me/blog/o-que-sao-microinfluenciadores/>. Acesso em 4 de março de 2020.

MESSA, Eric. "Comunicação e mídias sociais em tempos de Covid-19". Faap, 18 maio 2020. Disponível em: <https://bit.ly/3cJYmN0>. Acesso em 23 de abril de 2021.

PONDÉ, Luiz Felipe. *Marketing existencial*. São Paulo: Três Estrelas, 2017.

VI • GESTÃO DE CRISES EM TEMPOS DE COMUNICAÇÃO DIGITAL E MÍDIAS SOCIAIS

14. GESTÃO DE CRISE E MÍDIAS DIGITAIS: RELAÇÕES PÚBLICAS APLICADAS ANTES, DURANTE E DEPOIS

Jones Machado

CONSIDERAÇÕES INICIAIS

O cenário no qual se desenrola a maioria das crises na contemporaneidade é constituído de elementos diversos que merecem a atenção dos profissionais de comunicação, em especial dos relações-públicas. Hipervisibilidade midiática, multiplataformas digitais, posicionamentos organizacionais, usuários-mídia e *fake news* são alguns dos principais aspectos envolvidos quando se gere a comunicação de crise. Assim, este capítulo tem como objetivo abordar o contexto de crise e o papel da comunicação e das práticas de relações públicas aplicadas em mídias digitais pelas organizações.

A leitura do texto será mais proveitosa se a discussão proposta levar os profissionais de comunicação a refletir que momentos críticos são também momentos de aprendizado, de lançar mão de alternativas, explorar a criatividade, renovar hábitos e potencializar aquilo que não vinha sendo visualizado em condições normais. Ressalte-se que a adversidade e a complexidade de um período turbulento requerem muito mais do que métodos e técnicas profissionais; elas exigem sensibilidade, ética, respeito, responsabilidade e empatia das pessoas que conduzem o processo de gestão comunicacional.

A fim de discutir esse panorama complexo, o capítulo se divide em três seções. Na primeira, reflete-se sobre a comunicação e o contexto de crise. No segundo tópico, estabelece-se uma relação entre o antes, o durante e o depois de uma crise. Já na terceira parte, propõe-se uma matriz estratégica da comunicação de crise (Machado, 2020) como contribuição às práticas de relações públicas digitais nessa área junto às empresas.

COMUNICAÇÃO E CRISE

Quando se estuda crise, há vasta bibliografia e inúmeros relatos profissionais para alegar que a área da comunicação é a primeira a sofrer com cortes nas finanças e no pessoal. Mas esse cenário, que tinha se efetivado décadas atrás, ficou no passado. Hoje se afirma e se confirma que a comunicação é imprescindível em momentos críticos, pois estes representam período frágil e delicado para a organização e para as pessoas prejudicadas – ou para toda a população, em caso de pandemia, por exemplo. A comunicação e os profissionais da área têm papel importante porque, ao tratar e compartilhar informação, realizar campanhas e desenvolver projetos, eles auxiliam, esclarecem, confortam, aproximam e reforçam vínculos entre as pessoas e com a comunidade.

Na mesma direção, afirma-se corriqueiramente que desafios se impõem e se sobrepõem em períodos de crise. É fato. Tais desafios devem, porém, ser analisados à luz das oportunidades de ajudar, potencializar ocasiões, criar alternativas, transformar realidades e fortalecer relacionamentos. A crise é a hora de os posicionamentos se mostrarem úteis, e não apenas discursos enquadrados. Aliás, o posicionamento organizacional aplicado dirá muito sobre a ética do negócio e a visão dos gestores. Também nesses momentos turbulentos, a organização e os gestores de todas as áreas precisam aproximar-se ainda mais e unir esforços, inclusive com outras empresas. É de tal dinâmica que surgem ideias fecundas que vão se perpetuar quer na produção, na contabilidade ou na informática (por exemplo), quer na comunicação.

Tempos de crise ainda expõem em multimídias e em multiplataformas a realidade organizacional, no que se refere tanto ao cuidado das pessoas quanto à competência técnica para superação. Isso se efetiva seguindo não só a atuação vicária da imprensa, mas também o conteúdo gerado pelos usuários-mídia (Terra, 2010). Não menos importante: esses momentos podem ser explorados por concorrentes desleais, *haters*, partidos políticos adversários e outros para desestabilizar a comunicação por meio de *fake news*. Não chega a ser novidade, mas notícias falsas podem ser amplificadas e gerar consequências permanentes. Daí ser importante em todo tipo de organização a gestão profissional da comunicação antes, durante e após uma crise.

Em face do exposto, três coisas mostram-se imperativas em contextos de crise:

1 Fazer valer a essência organizacional – com base em valores morais.
2 Fazer materializar-se o planejamento estratégico global e o planejamento estratégico de comunicação, que devem ser construídos periodicamente e levados a cabo com base em objetivos claros e em ações, campanhas, eventos e projetos que deem conta de retornar à sociedade a confiança depositada na organização.
3 Fazer valer as premissas e as funções das relações públicas – informação, pesquisa, públicos, diagnóstico, planejamento, transparência, relacionamentos e avaliação.

CRISE: ANTES, DURANTE E DEPOIS

A gestão de comunicação na crise se dá não apenas durante o acontecimento crítico, mas todos os dias, no âmbito tanto offline quanto online. Isso se torna possível quando elaboramos um plano estratégico de comunicação; quando mantemos relacionamento contínuo com imprensa, fornecedores e comunidade; quando agimos com ética e responsabilidade nos negócios; e quando valorizamos nossos colaboradores.

Na comunicação no contexto de crise em mídias digitais (foco deste capítulo), as funções tradicionais de relações públicas não são substituídas quando as práticas de RP são empreendidas na ambiência online. O que acontece é um ajustamento à lógica da internet, com o aporte teórico, técnico e profissional que há tempos estamos aperfeiçoando ante a dinâmica dos cenários. Por isso, a atuação do relações-públicas – profissional responsável por gerir os relacionamentos, a comunicação e a identidade, imagem e reputação organizacionais – continua indispensável e fica ainda mais fortalecida, em razão tanto da visibilidade que a internet dá para as potencialidades e, ao mesmo tempo, para as fraquezas das organizações quanto do espaço que ela concede a usuários-mídia e disseminadores de *fake news*.

Por isso, as práticas de relações públicas não podem prescindir de quatro pressupostos para a atuação estratégica em mídias digitais:

1   Conhecer seu público online (para acabar não falando com ninguém nem com todo mundo).
2   Desenvolver planejamento específico para a ambiência digital (interligado ao plano tradicional global).
3   Avaliar o potencial, a adequação e a viabilidade do uso de cada tecnologia (a fim de não desperdiçar esforços nem investimentos).
4   Priorizar o conteúdo e a interação em vez da disseminação unilateral de informações irrelevantes, para manter-se interessante em meio a tantas publicações de outras organizações, imprensa e pessoas.

Com tais princípios, basta pensar nas ações e estratégias mais efetivas a empreender nos espaços digitais, em que as relações públicas têm muito a potencializar.

O RP deve primar pelo planejamento de suas práticas, apoiando-se em pesquisas, sob pena de incorrer em improvisações ou perder o controle em determinadas situações. Isso porque a tomada de decisões foi acelerada na ambiência digital, provocando tanto resultados positivos, pela competente condução de casos controversos, quanto desastres de comunicação, pelo despreparo e falta de planejamento das marcas no trato das circunstâncias. Vale reiterar que o plano de comunicação deve ser elaborado a qualquer momento, mesmo sem a incidência de turbulência, pois o conteúdo dele dará sustentação num momento de crise.

A seguir, apresentamos um roteiro com 15 passos para elaborar um plano de comunicação que leve em conta o contexto digital de atuação:

1. *Sumário executivo/apresentação*. Descrever a organização/marca/produto/serviço: ramo de atuação, histórico, missão, visão, valores e objetivos organizacionais.
2. *Diagnóstico*. Elencar as forças, fraquezas, oportunidades e ameaças; realizar análise da concorrência, pesquisa de opinião pública e auditoria de imagem, netnografia, grupos focais e conversas informais; e coletar e cruzar os dados do gerenciamento de relacionamento com o cliente (CRM) da organização.
3. *Públicos*. Definir e descrever os públicos e as personas; e, de acordo com as pesquisas realizadas, estabelecer o grau de relação e envolvimento deles com a organização.
4. *Prognóstico*. Com base no diagnóstico e no público, elencar situações que precisam de atenção especial e sugerir o que se pode fazer.
5. *Estratégia*. Definir a estratégia de comunicação e de presença digital segundo a estratégia do negócio e as necessidades encontradas no diagnóstico.
6. *Posicionamento*. Determinar o posicionamento tanto offline quanto em mídias digitais levando em conta o posicionamento do negócio, com justificativa e argumentação de defesa em caso de questionamentos, elogios ou ataques.
7. *Objetivos e metas*. Definir de acordo com o planejamento global do negócio os objetivos e metas mensuráveis de curto, médio e longo prazo.
8. *Riscos e crises*. Com base na identificação de riscos, elencar potenciais crises e descrever as soluções/respostas/medidas a tomar.
9. *Plano de ação*. Definir ações para multimídias (campanhas, concursos, eventos, calendarização), descrevendo-as e justificando-as.
10. *Plataformas*. Definir as plataformas a usar (dispositivos online e offline).
11. *Recursos*. Determinar os recursos físicos, materiais, humanos e financeiros necessários para executar o plano de ação.
12. *Presença offline e online*. Definir as editorias de conteúdo, linguagem, tom e padrão visual.
13. *Cronograma*. Definir as datas para implementar e finalizar cada ação/etapa/postagem.

14 *Monitoramento e controle.* Elencar o software pago e gratuito a usar.

15 *Mensuração e avaliação.* Estabelecer as métricas e os indicadores quantitativos e qualitativos de referência; elencar as pesquisas a realizar e os métodos de avaliação.

Se antes de ter presença oficial na ambiência da internet o profissional de RP não empreender esse exercício de pensamento que apresentamos – respondendo a questionamentos mentais, levando em conta pareceres técnicos e formalizando o planejamento num plano de atuação mediante pesquisas e elaboração de estratégias –, correrá o risco de incorrer em ações incoerentes, ter presença digital apática, assistir ao desperdício de investimentos e à ausência de resultados positivos para a organização e até deixar seus públicos desassistidos ou, ainda, gerar outras crises.

Retomando a ideia de que hoje toda comunicação é de risco – por causa da ampla visibilidade oriunda dos espaços da comunicação digital, que possibilitou a qualquer agente se expressar e expor suas opiniões para muitos –, as organizações precisam manter-se alerta e ter em mãos um manual de comunicação de crise que leve em conta a ambiência da internet e suas características. Tendo como referência o aporte teórico de Forni (2013), Coombs (2007), Argenti (2006) e Mitroff (2000) sobre prevenção e gestão de crises e atualizando essa bibliografia ao incluir pontos relativos ao contexto digital, elencamos a seguir os itens que consideramos indispensáveis para prevenir e/ou gerenciar de forma efetiva a comunicação nesse contexto e que devem estar num manual de crise:

1 *Conceituações.* Descrever o que a organização entende por *risco, crise, sinais* e *emergência.*

2 *Objetivos do manual de crise.* Elencar os objetivos da existência, apresentação e uso do manual.

3 *Objetivos da comunicação de crise.* Elencar os objetivos das práticas de comunicação em períodos de crise.

4 *Glossário.* Para facilitar a comunicação, listar o significado de siglas, códigos, abreviaturas e termos técnicos.

5 *Públicos*. Determinar, segundo prioridades da organização e do cenário apresentado, os públicos a contatar e deslocar e aos quais atender e responder.
6 *Cenários*. Delinear potenciais cenários, segundo os sinais do entorno ou o *modus operandi* do ramo de negócio.
7 *Riscos*. Elencar os riscos iminentes ou temas sensíveis, seus potenciais impactos e possíveis respostas.
8 *Comitê de crise*. Definir as pessoas que farão parte do comitê (e que se reunirão periodicamente), um ou mais porta-vozes e os instrumentos de gestão e descrever as atribuições do comitê e as funções de cada setor.
9 *Protocolos de ação*. Estabelecer protocolos para agilizar as condutas em momentos de crise.
10 *Fluxogramas de ação*. Para facilitar o fluxo dos processos, delinear o fluxograma de cada ação a implementar durante e após a crise.
11 *Recursos*. Definir locais, equipamento, materiais e equipes e alocar os recursos financeiros necessários para as providências.
12 *Checklist*. Listar todas as ações necessárias para sistematizar o andamento da gestão de crise e não precisar recorrer a improvisos.
13 *Ações básicas*. Discriminar as ações necessárias e os procedimentos correspondentes a cada uma delas, fazendo constar os nomes dos setores, equipes e pessoas responsáveis e os momentos de execução.
14 *Mailing*. Manter uma lista atualizada de contatos importantes: equipe do comitê; imprensa; empresas de segurança; órgãos de segurança, emergência e defesa; órgãos do governo; e unidades da organização. A lista deve conter nome; cargo; ramal e telefone celular; e-mail; número de aplicativos de mensagens instantâneas; endereço; etc.
15 *Imprensa*. Manter relacionamento permanente e contínuo com a mídia; estabelecer mensagens-chave; definir períodos de atuação durante a instauração da crise; criar respostas para perguntas frequentes; e estabelecer os canais de comunicação online e offline que estarão disponíveis.
16 *Internet*. Definir o posicionamento em mídias digitais; mensagens a postar ou divulgar; plataformas a priorizar ou criar; momentos de

ação ou de interferência; e as equipes e o software necessários para o monitoramento e a interação.

17 *Procedimentos complementares*. Listar procedimentos que não são padrão, mas podem ser úteis.
18 *O que não fazer*. Listar as atitudes que, para evitar boatos ou transtornos maiores, devem ser evitadas pelos colaboradores e seus familiares, pelas chefias e pelos acionistas/investidores.
19 *Ações para o pós-crise*. Realizar pesquisas e auditorias de opinião e imagem, além de avaliar a crise, medir os impactos do ocorrido e, se necessário, propor mudanças.

O manual de comunicação de crise precisa ser objetivo, claro e conciso e estar à disposição de todas as pessoas que são parte da organização, aí incluídos os familiares dos colaboradores, as comunidades próximas e os fornecedores, para que haja transparência, evitem-se danos ainda maiores e se possa contar com o apoio também desses públicos. Não basta, portanto, a direção, os colaboradores e os acionistas/investidores estarem envolvidos. Para prevenir e gerir riscos e crises, é preciso um esforço conjunto e contínuo. Daí a necessidade da presença permanente de profissionais de RP nas organizações, pois os relacionamentos e a imagem são construídos dia após dia, num trabalho consistente e planejado de longo prazo, o qual garante a sustentabilidade do negócio, da marca, da identidade, dos valores, da imagem e do discurso organizacionais.

A comunicação não se refere, assim, a um conjunto de ações pontuais – como postagens, eventos, comunicados, press releases ou campanhas. Ela diz respeito a um complexo estratégico de relações que busca pôr as pessoas e as organizações ao redor de objetivos e interesses em comum. Nesse sentido, todo o ferramental, aliado a um planejamento consistente e à responsabilidade técnica profissional no cotidiano e no contexto de crise, será posto à disposição para que a organização defina estratégias comunicacionais que busquem diminuir – tanto para si quanto para os atores do macroambiente – os impactos negativos de uma eventual crise.

Como toda tempestade, as crises têm fim. Mas esse fim é o início de um esforço para mensurar e avaliar as ações, os posicionamentos, as alternativas e os aprendizados, além de ser a oportunidade de se adaptar às mudanças e aos impactos (negativos ou positivos) ocasionados pelo momento crítico. O pós-crise redirecionará a organização, que poderá seguir fazendo o mesmo que tinha feito até então ou reinventar-se para se tornar melhor, mais humana, mais produtiva, mais sustentável, mais segura e mais empática.

MATRIZ DE GESTÃO ESTRATÉGICA DA COMUNICAÇÃO DE CRISE

Em face do exposto, a gestão estratégica da comunicação e da crise em si ocorrem permanentemente, começando antes mesmo dos primeiros sinais de alerta e da instauração de uma situação crítica no macro ou no microambiente. Tendo isso em mente, apresenta-se no Quadro 1 a matriz de gestão estratégica da comunicação de crise (Machado, 2020), para apontar práticas de relações públicas digitais que devem ser empreendidas antes, durante e após o período turbulento. Essas práticas estão sempre pautadas por planejamento prévio, disponibilização de informações, transparência dos processos, relacionamento contínuo e comunicação de mão dupla com os públicos.

Quadro 1. Matriz de gestão estratégica da comunicação de crise

Práticas estratégicas	Descrição
1. Plano estratégico de comunicação de crise	Documento que formaliza as práticas de comunicação na organização, levando em conta os objetivos, as metas, as estratégias e a avaliação das ações.
2. Relacionamento com a imprensa e com a comunidade	Manter em caráter permanente o envio de releases aos veículos de comunicação e realizar programas contínuos de aproximação com a comunidade.
3. Presença digital ativa: sites, hotsites, blogues e mídias sociais digitais	Estar presente e atuante na internet de forma planejada e profissionalizada, considerando as características da ambiência digital, como interação, instantaneidade, convergência e formação de redes.
4. Apropriação das lógicas midiáticas: tecnológica, profissional e simbólica	Usar tecnologias, linguagem, estratégias e know-how do campo midiático, fortalecendo a comunicação organizacional.

5. Comunicação multimídia: online e offline	Potencializar pela convergência de mídias os recursos multimídia disponíveis para a comunicação com os públicos em diferentes espaços.
6. Manutenção de canais abertos de comunicação	Existência de pontos de contato e interação analógicos e digitais, com pessoas treinadas e disponíveis para ouvir e responder.
7. Autorreferenciação/ autopromoção	Publicações que se refiram às ações realizadas pela organização, para dar visibilidade e fortalecer/legitimar valores e posicionamentos.
8. Desintermediação por mídias próprias	Além das mídias sociais digitais comerciais, usar sites, blogues, hotsites específicos, aplicativos móveis e outros espaços digitais próprios.
9. Agenda positiva de notícias institucionais	Publicar as realizações ou os acontecimentos positivos que ocorrem na organização, para potencializar fatos favoráveis que digam respeito a ela.
10. Política de transparência nos negócios e na gestão	Formalizar e fiscalizar as práticas de gestão dos negócios na organização, mantendo informados e cientes os investidores, os colaboradores e a comunidade.
11. Comunicação integrada	Manter coerência entre o discurso organizacional e a prática, com sinergia das áreas e subáreas da comunicação, envolvendo de forma efetiva os diferentes públicos de interesse.
12. Exploração da linguagem icônica e da linguagem hipertextual	Potencializar o uso de diferentes linguagens (por exemplo, infografias, vídeos e hyperlinks) que a internet oferece para construir estratégias comunicativas e discursivas.
13. Potencialização da visada incitativa e da visada de captação no discurso	Buscar que os públicos creiam no impacto das ações da organização e sintam-nos, por meio seja da realização de projetos, seja da divulgação, seja do relacionamento.
14. Execução permanente de projetos sociais, ambientais, esportivos e culturais	Realizar ações que construam bom relacionamento e boa imagem em caráter permanente, não apenas em momentos turbulentos.
15. Realização periódica de auditorias de processos e de imagem	Cultura de fiscalização, avaliação e revisão de práticas organizacionais, com vistas à detecção de riscos para os negócios e para a imagem corporativa perante a sociedade.
16. Política de controle e de avaliação das ações	Instaurar medidas que tornem os processos passíveis de otimização, com objetivos, metas, métricas e indicadores predefinidos em planejamento.
17. Manual de comunicação de crise atualizado	Documento que formaliza as ações a colocar em prática antes, durante e após uma crise e prevê treinamentos, simulações, públicos, discursos, staff, porta-vozes, cronograma, comitê de crise e ações pontuais.

Fonte: Machado, 2020.

A matriz ratifica o entendimento de que as práticas de relações públicas são estabelecidas para que se identifiquem os resultados a curto, médio e longo prazo. Muitas das práticas estratégicas – assim consideradas por levarem em conta os objetivos organizacionais, os diversos públicos, as ações permanentes e a filosofia do planejamento – mostram que a essência das relações públicas é gerir de forma complexa e global a comunicação das organizações. Para tanto, evidencia-se a necessidade de o profissional da área ter conhecimento de multiplataformas digitais, ecologia midiática e linguagens multimídias, a fim de dar conta de um contexto de crise que precisa ser enfrentado com presença digital ativa, posicionamentos consolidados e coerentes, relacionamento com a mídia, interação com usuários-mídia, antecipação de cenários e combate a eventuais *fake news*.

CONSIDERAÇÕES FINAIS

No processo de gestão de crise (antes, durante e depois), nota-se que a atuação do relações-públicas aumenta e o profissional se legitima como gestor da comunicação organizacional. A comunicação é imprescindível nesses momentos, e o RP é quem detém as competências para evitar boatos, fazer frente às *fake news*, facilitar o fluxo de informações, gerir a imagem e potencializar as oportunidades que surgem na instabilidade.

Como profissional estratégico, o relações-públicas é leitor de cenários (Grunig, 2009, p. 94), identificando potenciais assuntos emergentes e preparando a organização para enfrentar ameaças e administrar conflitos. Ele discerne os públicos-chave, analisa o ambiente em diversas dimensões – política, econômica, cultural e social – e distingue os pontos fortes e fracos, as ameaças e as oportunidades, a fim de propor estratégias, contribuir com a tomada de decisões junto à direção e avaliar o esforço empreendido para lastrear a continuidade de um bom trabalho de RP.

Insistimos: a comunicação de crise é permanente e contínua. Refere-se a um processo planejado antes da crise para ser implementado dia após dia (ainda que de forma mais intensa em momentos de instabilidade). Por isso, trata-se de um processo diário, realizando projetos que conferem visibilidade positiva à organização, transformam realidades de pessoas e organizações, estabelecem relacionamentos de qualidade e fortalecem a marca. Tal lógica constante é o que permite construir uma base sólida, um estoque de confiança e reconhecimento perante a imprensa e os demais públicos com quem a organização se relaciona.

REFERÊNCIAS

Argenti, P. A. *A comunicação empresarial: a construção da identidade, imagem e reputação*. Trad. Paulo Roberto de Miguel. Rio de Janeiro: Campus, 2006.

Coombs, W. T. *Ongoing crisis communication: planning, managing and responding*. Thousand Oaks: Sage, 2007.

Forni, J. J. "Comunicação em tempo de crise". In: Duarte, Jorge. *Assessoria de imprensa e relacionamento com a mídia: teoria e técnica*. São Paulo: Atlas, 2008.

_____. *Gestão de crises e comunicação*. São Paulo: Atlas, 2013.

_____. Comunicação & Crise – Site do Professor João José Forni. Disponível em: <http://www.jforni.jor.br/forni/?q=node/319>. Acesso em 6 de abril de 2020.

Grunig, J. E.; Ferrari, M. A.; França, F. *Relações públicas: teoria, contexto e relacionamentos*. 1. ed. São Caetano do Sul: Difusão, 2009.

Machado, J. *Gestão estratégica da comunicação de crise*. Santa Maria: Facos-UFSM, 2020.

Mitroff, I. *Managing crisis before they happen*. Nova York: Amacom, 2000.

Terra, C. F. "Usuário-mídia: a relação da comunicação organizacional e do conteúdo gerado pelo usuário". Tese (doutorado em Comunicação). São Paulo, ECA-USP, 2010.

15. O MONÓLOGO DAS MARCAS E AS CRISES DE REPUTAÇÃO NAS REDES SOCIAIS

Rosângela Florczak de Oliveira

Quando o assunto é comunicação, há um mundo novo no cotidiano das marcas e das empresas. A fluidez de trocas de mensagens que desafiam as relações hierárquicas, o protagonismo do usuário-mídia[1], a pulverização das mídias intensificada pela ambiência digital e o rotineiro contexto das crises que ameaçam reputações se transformaram em verdadeiro tsunâmi e impõem mudanças profundas. Assumida como área técnica no contexto das organizações, a comunicação organizacional ainda enfrenta esse cenário com práticas surgidas na Revolução Industrial (Kunsch, 2012).

Se no espaço da produção de conhecimento científico-acadêmico as diferentes perspectivas teóricas sobre a comunicação organizacional vivem em constante tensionamento, no contexto das organizações as visões tradicionais ainda costumam prevalecer. Agências, assessorias e consultorias, assim como as equipes internas que respondem pelos processos comunicacionais, enfrentam a necessidade de uma revisão profunda em seus princípios e estratégias. Para atender às exigências que emergem dos cenários complexos estabelecidos pelas relações sociais contemporâneas, é preciso uma verdadeira (re)definição do entendimento sobre a comunicação.

Uma análise mais apurada desse cenário desafiador – com potencial único para a transformação – passa por compreendermos o problema com base em diferentes aspectos. Primeiro, devemos relembrar os já históricos tensionamentos no espaço teórico. Na sequência, precisamos

---

1. "Estamos na era da midiatização dos indivíduos, na possibilidade de usarmos mídias digitais como instrumentos de divulgação, exposição e expressão pessoais. Daí o termo *usuário-mídia*. Cada um de nós pode ser um canal de mídia: um produtor, criador, compositor, montador, apresentador, remixador ou apenas um difusor dos seus próprios conteúdos" (Terra, 2012, p. 76).

reconhecer as demandas e oportunidades trazidas pelos novos contextos. Por fim, conforme as evidências do esgotamento das práticas tradicionais, é o caso de apontar novas possibilidades que tragam resultados efetivos para o diálogo das organizações com seus interlocutores na prevenção e gestão das crises que podem abalar a reputação das marcas. Vamos, então, percorrer esse caminho de análise para chegar às potencialidades da área da comunicação num mundo em profunda transformação (Giddens, 2007).

TENSIONAMENTOS NO ESPAÇO DA TEORIA

No espaço da produção de conhecimento, entre as muitas correntes e perspectivas teóricas que explicam o fenômeno comunicacional, é possível identificar dois polos que se destacam em paradigmas antagônicos: a *visão informacional* (que é fruto do paradigma de transmissão baseado na teoria matemática da comunicação) e a *visão relacional* (que emerge do paradigma dialógico).

A visão informacional, em sua essência como teoria sobre a transmissão ideal de mensagens, baseia-se no sistema geral de comunicação proposto por Shannon (1949). Esse sistema é o da transferência de informação (mensagem) de uma fonte por um transmissor que a converte em sinal, o qual, por sua vez, é recebido por um receptor que novamente a converte em mensagem e entrega ao destinatário. Para Wolf (2008), mais do que uma teoria, o modelo de Shannon deu origem a um dos principais paradigmas adotados pelo campo de estudos: o paradigma informacional[2].

Em contraponto a esse que se tornou o paradigma clássico da comunicação e ainda inspira as práticas, a segunda visão – a relacional – emerge do paradigma dialógico, que estabelece as bases para uma visão complexa da comunicação (França, 2001). Ela se baseia na bilateralidade do processo comunicacional e se caracteriza pela igualdade de condições entre os interlocutores envolvidos, enfatizando não a diferença entre os

---

2. Segundo Wolf (2008), há mais dois paradigmas: o modelo semiótico-informacional e o modelo semiótico-textual.

polos (emissor e receptor), mas a natureza da relação estabelecida entre ambos. Para França (2001), os processos comunicativos põem em cena indivíduos investidos de um novo papel: sujeitos da comunicação, sujeitos em comunicação.

Embora o paradigma dialógico seja fomentado no espaço teórico já há algumas décadas, foi nos primeiros anos do século 21 que ele ganhou força nos estudos da comunicação, também com contribuições de diversos campos do saber.

O contraste direto entre os dois paradigmas citados é evidenciado nas ideias de Wolton (2006, 2010). Herdeiro da sociologia política e da sociologia da comunicação, o autor atualiza as diversas nuances envolvidas no comunicar e propõe uma construção teórica nova, baseada na máxima de que *informar não é comunicar* – opondo-se, claramente, ao paradigma informacional. O espaço e/ou compreensão de comunicação de Wolton encontra abrigo numa lógica societal que ele denomina sociedade aberta (Wolton, 2006).

É a sociedade aberta, emergindo na configuração contemporânea do social, o lócus no qual se amplia o espaço da comunicação, fazendo que haja avanços também no sentido de promover religações e contextualizações. "Quando são livres, os homens encontram-se em face da comunicação", afirma Wolton (2006, p. 26). Para ele, a sociedade aberta é uma sociedade móvel, voltada para a mudança, que privilegia a iniciativa, separa o religioso do político e do militar e reconhece tanto a singularidade e a igualdade dos sujeitos quanto o direito à expressão. Ou seja, é onde a comunicação assume lugar privilegiado:

> A vitória da comunicação é acompanhada por uma mudança em seu estatuto. É menos um processo, com início e fim, do que uma questão de mediação, um espaço de coabitação, um dispositivo que visa amortecer o encontro de várias lógicas que coexistem na sociedade aberta. (Wolton, 2006, p. 32)

Na complexidade do tempo vivido, é preciso extrapolar a mera transmissão de informações. Wolton situa a comunicação no tenso espaço da confiança, do vínculo e das relações. "Informar, expressar-se e transmitir não é mais suficiente para criar uma comunicação" (Wolton, 2006, p. 31). Sabe-se que, no horizonte das relações, o risco da incomunicação é permanente; dito isso, para que a comunicação aconteça, parte-se da questão central que é o outro e que, nisso, assume o lugar de interlocutor.

Pelos recortes aqui apresentados, a dimensão teórica parece abarcar o cenário complexo que se vive nas organizações e relações contemporâneas. Entretanto, ela ainda se mostra limitada na tarefa de inspirar o espaço das práticas. De sua concepção no período industrial (quando a informação era restrita, centralizada, e o principal desafio da comunicação era transmiti-la) para a atualidade (em que é abundante e pulverizada), mudou de forma radical a finalidade da área de comunicação no contexto organizacional e das relações das quais é vetor.

CONSTRUÇÃO DE REPUTAÇÃO NA POLIFONIA DAS REDES E DAS CRISES

Na segunda metade do século 20, quando se consolidaram as práticas de comunicação corporativa, estas estavam focadas na construção de imagem das marcas, empresas e organizações. Para atender àquela demanda, as soluções eram fundamentalmente instrumentais, fragmentadas e unidirecionais – por exemplo, campanhas, releases, cartazes, folders e tantas outras que se baseavam em emitir informações ou mensagens persuasivas a um receptor passivo. Mais tarde, já na década de 1990, a perspectiva da comunicação integrada ganhou força e se tornou a referência para gerir a comunicação no contexto organizacional. Nessa fase, buscou-se transcender o instrumental apostando na atuação integrada do que se denominava comunicação interna/administrativa, comunicação institucional ou comunicação mercadológica.

Hoje o desafio é ainda mais complexo. A comunicação precisa fazer sentido em novos espaços, ou seja, tem a missão de transformar a imagem em reputação e mantê-la no transparente cenário da ambiência digital. Para Thomaz e Brito (2010), a reputação corporativa se desenvolve ao longo do tempo, sendo o resultado de interações repetidas e experiências acumuladas nos relacionamentos com a organização. É a partir da comunicação rotineira que a reputação se consolida. Almeida, Paula e Bastos (2012) defendem que a reputação é fruto do processo de significação e construção de sentido sobre a organização. Ou seja, é a consolidação das diversas imagens construídas ao longo do tempo, uma representação coletiva cristalizada com base nos resultados de repetidas interações e experiências acumuladas entre a organização e seus interlocutores.

É pela comunicação – aqui compreendida como resultado do processo de interação entre sujeitos no contexto das organizações – que se constroem os sentidos que permitem criar, manter/mudar, proteger e recuperar a reputação de uma marca, produto/serviço, empresa ou personalidade pública. O desafio adicional está na ambiência digital, em que hoje ocorrem, de forma preponderante, tanto as interações quanto o cenário de vulnerabilidades representado pela ocorrência de acontecimentos críticos geradores de crises que impactam a reputação construída.

Para Castells (2009), o ambiente digital é o espaço das redes. É onde se estabelecem as conexões e/ou desligamentos, e o poder na sociedade em rede é o poder da comunicação. Por isso, a disputa de poder relaciona-se à batalha para construir significado na mente das pessoas. Os indivíduos criam significado interagindo com seu ambiente e conectando-se com as redes sociais, que são "espaços de autonomia, muito além do controle de governos e empresas, os quais, ao longo da história, haviam monopolizado os canais de comunicação como alicerces de seu poder" (Castells, 2013, p. 10).

No mundo contemporâneo, essas redes se configuraram nas mídias sociais. Para Santaella (2013), as mídias sociais, além de favorecer a circulação, abrem espaços para a criação de ambiente de convivência instantânea entre as pessoas. Nesse ambiente, as organizações se posicionam como um sujeito em interlocução. "Instauram assim uma cultura integrativa, assimilativa, cultura da convivência que evolui de acordo com as exigências impostas pelos participantes [...]. A internet tornou-se assim um hiperespaço plural [...] em um sistema de trocas e reciprocidade" (Santaella, 2013, p. 45).

Pois bem, é nesse espaço marcado pelas trocas e reciprocidades que as organizações precisam interagir para gerar sentido e manter a reputação. Em tempos regulares, tal necessidade já representa um desafio que não se consegue superar com as práticas tradicionais. Nos contextos de crise, entretanto, superar o paradigma informacional é imprescindível, porque são momentos de polifonia[3], marcados pela emoção e pela incomunicação (Wolton, 2010).

Forni (2013, p. 289) afirma que, em momentos de crise, a comunicação é um diferencial: "Sem uma comunicação efetiva, transparente, tempestiva, fica muito mais difícil controlar a crise". Para Beck (2008), vivemos numa sociedade de risco, e os riscos não gerenciados podem transformar-se em crises que afetam pessoas e organizações.

Definindo crise como processos de degeneração e ameaças à organização que se manifestam em acontecimentos súbitos, Shinyashiki (2006) afirma que esses acontecimentos podem colocar em risco a sobrevivência ou provocar perdas humanas, financeiras e reputacionais. Como proposição de modelo de ações para gestão de crises, Shinyashiki, Fischer e Shinyashiki (2007) categorizam as contribuições de autores internacionais que pesquisam o tema e que listam a necessidade de um conjunto integrado de ações. Entre elas, prevenção de crises; procedimentos de contingência; atenção aos stakeholders; comprometimento da direção; comunicação; liderança; manutenção dos valores; criatividade; rapidez nas ações; e cuidados pós-crise.

Em cada etapa, a comunicação assume diferentes responsabilidades. Para Steelman e McCaffrey (2013), se na comunicação do risco o foco é a prevenção de danos, na comunicação de crises é a comunicação durante um acontecimento; e no pós-crise, para reconquistar a confiança dos interlocutores, é preciso que a comunicação realinhe os sentidos gerados pela organização. No contexto organizacional, portanto, a comunicação assume lugar central para prevenir e gerenciar as crises.

---

3. Para Bakhtin (2008, p. 4), polifonia é "a multiplicidade de vozes equipolentes que expressam diferentes pontos de vista acerca de um mesmo assunto".

Nos momentos de crise organizacional, as trocas comunicacionais ganham espaço nos ambientes de interlocução cotidiana dos sujeitos, que hoje são majoritariamente as mídias sociais situadas no ambiente digital. Esse contexto exige que a abordagem seja dialogal/relacional.

> É certo que a comunicação por meios digitais apresenta incertezas tanto interpessoais quanto organizacionais. Longe de ser uma comunicação linear ou mesmo reversiva entre emissor e receptor, a relação entre o eu e o(s) outro(s) fica rodeada de ambiguidades, geradas, por exemplo, pelo potencial para o anonimato, para a construção múltipla de eus e identidades nos espaços plurais que a internet propicia. (Santaella, 2010, p. 83)

E o que se pode perceber nas situações de crise que ameaçam a reputação de marcas, empresas e organizações em geral? Tendo as mídias sociais como espaço de análise, não é necessário demorar-se muito nos exemplos para perceber que o tom dialogal, conversacional, ainda não está presente nas estratégias de comunicação experimentadas no espaço das práticas. Grande parte das marcas, ainda inspiradas pelo paradigma informacional (baseado na emissão de mensagens), estabelece um verdadeiro monólogo no ambiente digital. Transportam para lá a lógica da mídia tradicional, em que o emissor tinha lugar hierárquico na relação comunicacional e o usuário/receptor se mantinha longe do protagonismo.

DIÁLOGO OU MONÓLOGO NAS INTERAÇÕES NAS REDES SOCIAIS

Conforme nossa tese (Oliveira, 2016), compreendemos que a comunicação se efetiva pela interação dialógica. Para nós, diálogo é um processo que se estabelece com interações recíprocas e com abertura para o outro, sendo, portanto, baseado na alteridade. O diálogo se dá entre sujeitos interlocutores, de forma mediada ou não, exigindo engajamento efetivo na interpretação e construção de realidades. Tem potencial de transformação, pelo estabelecimento de vínculos de cooperação. De rara ocorrência, implica superar a solidão dos monólogos para construir, em conjunto, novas interpretações sobre o mundo de forma dialógica – ou seja, permanente, imprevisível e caótica. Em contrapartida, o monólogo está aqui associado à simples transmissão de mensagens, na tentativa de gerar comunicação, mas sem preocupação com a interação.

Ao observarmos os espaços de mídias/redes sociais ao longo de 2019 e dos primeiros meses de 2020, buscamos, nos casos de crises que atingiam a reputação, identificar características da interação dialógica na comunicação das marcas, empresas e organizações em geral. Pudemos perceber diversos aspectos em comum, gerando evidências que permitem inferir a prática adotada e a possível intenção comunicacional (Quadro 1).

Quadro 1. Cinco características da comunicação nas redes sociais em situações de crise

1	A comunicação das marcas, empresas e organizações no ambiente digital se dá, prioritariamente, em espaços próprios, raras vezes interagindo ou fazendo-se presente em espaços pessoais ou de organizações como governo, imprensa e representações setoriais.
2	Há predomínio da publicação de "notícias" da organização – as postagens publicadas têm, frequentemente, o formato de texto informativo redigido com padrão jornalístico básico. São comunicados, notas de esclarecimento e/ou notícias relacionadas indiretamente à crise, já apresentando pauta positiva.
3	A interação que se estabelece a partir das postagens publicadas pela organização é sempre de iniciativa do internauta que emite comentários sobre a organização, mas nem sempre está diretamente relacionada ao que foi publicado.
4	É rara e instável a disposição da organização para dialogar com o internauta. Em poucos casos há diálogos efetivos, com base em ponderações feitas por quem apresenta dúvidas, críticas ou elogios. Apenas no caso de informações de serviço (ou seja, daquelas que respondem a dúvidas sobre encaminhamentos práticos) dão-se respostas frequentes.
5	Nos casos em que a organização se dispõe a dialogar com o internauta, ainda se detectam, por exemplo, respostas idênticas que são repetidas para muitos e diferentes comentários e a ausência do que seriam características básicas nesse tipo de diálogo, como dirigir-se à pessoa pelo nome, apresentar questionamentos e esclarecer pontos. Mesmo nas interações, a intenção parece ser usar informações para encerrar a conversa.

Fonte: elaborado pela autora.

Para muitas organizações, a crença no modelo informacional pode gerar falsos alertas. Distantes da visão conversacional e dialogal que caracteriza as mídias sociais na internet, essas organizações já estabelecem um processo de gestão de crise apenas por terem sido interpeladas, questionadas ou criticadas no ambiente digital. Em caso de crises reais provocadas por causas internas ou externas, a capacidade de se colocar em diálogo está ainda mais distante da realidade. Independentemente da mídia em que abrem seu espaço de diálogo, as organizações acabam por enxergá-lo como mais um "canal próprio", depressa esquecendo o propósito conversacional de tal espaço e, portanto, abandonando o diálogo para se acomodar no paradigma tradicional que se baseia no monólogo.

Em diferentes crises que envolvem a reputação de marcas ligadas a organizações de diferentes portes e naturezas, é possível perceber evidências do que afirma Kunsch (2012, p. 271): "Nota-se no cotidiano das organizações em geral, ainda que nas entrelinhas, uma predominância da comunicação técnica". O poder de diálogo de um comunicado, de uma nota de esclarecimento ou de uma campanha está justamente nas reações geradas nos interlocutores após a publicação. É ali que reside a riqueza do processo comunicacional. E é justamente nesse ponto que a maioria das organizações observadas no cotidiano das mídias sociais se ausenta, abrindo mão de serem um sujeito em diálogo.

Para que a organização passe a se enxergar como vetor de relacionamento – como mais um dos sujeitos em interlocução com todos aqueles que com ela se relacionam –, a inspiração precisa mudar. Com base no paradigma dialógico da comunicação, é possível compreender que a informação permanece na condição de recurso, de matéria-prima ou insumo básico, de *input*, mas que é preciso ir além de transmiti-la e, para isso, promover a interação dialógica a um lugar de processo central.

Quando os processos relacionais assumem centralidade na gestão das crises, a comunicação – aqui compreendida como a matriz das atividades humanas, conforme Sousa (2006) – passa a ser vista não mais como processo estático e linear, mas como processo dinâmico e complexo, no qual os sujeitos são, simultaneamente, emissores e receptores em interação contínua. Mais especificamente, é na comunicação que acontece no contexto das organizações que as novas perspectivas passam a incluir no processo o relacional – o outro do vínculo e da relação.

Carolina Terra, Bianca Marder Dreyer e João Francisco Raposo (orgs.)

CONSIDERAÇÕES FINAIS

É na esteira das transformações tecnológicas que se configuram as novas concepções seja da comunicação em geral, seja da comunicação organizacional. Castells (2009), lembramos, afirma que na atualidade o poder está relacionado à conexão ou ao desligamento das redes. Os espaços de emissor e receptor, por exemplo, se diluem na fluidez dos processos relacionais.

É no espaço das redes sociais, portanto, que se consolidam as reputações de marcas, empresas e organizações. O poder da comunicação está na capacidade de interação dialogada, com base na qual se constrói o sentido para as percepções do interlocutor. É chegada a hora de a comunicação organizacional/corporativa/empresarial assumir essa potência e experimentar novas práticas, ressignificando assim seu lugar nas organizações contemporâneas, quer estejam elas vivendo situações de crise, quer não.

REFERÊNCIAS

ALMEIDA, Ana Luísa de Castro; PAULA, Carine Fonseca Caetano de; BASTOS, Fernanda de Oliveira Silva. "Identidade, imagem e reputação: processo de construção de sentido no contexto das organizações". In: OLIVEIRA, Ivone de Lourdes; LIMA, Fábia Pereira (orgs.). *Propostas conceituais para a comunicação no contexto organizacional*. São Caetano do Sul: Difusão, 2012.

BAKHTIN, Mikhail Mikhailovich. *Problemas da poética de Dostoiévski*. 4. ed. Trad. Paulo Bezerra. Rio de Janeiro: Forense Universitária, 2008.

BECK, Ulrich. "'Momento cosmopolita' da sociedade de risco". *ComCiência*, n. 104, 2008.

CASTELLS, Manuel. *Comunicación y poder*. Madri: Alianza, 2009.

_____. *Redes de indignação e esperança*. Trad. Carlos Alberto Medeiros. Rio de Janeiro: Jorge Zahar, 2013.

FORNI, João José. *Gestão de crises e comunicação*. São Paulo: Atlas, 2013.

FRANÇA, Vera Veiga. "Paradigmas da comunicação: conhecer o quê?" *C-Legenda – Revista do Programa de Pós-graduação em Cinema e Audiovisual da Universidade Federal Fluminense*, n. 5, 2001.

GIDDENS, Anthony. *Mundo em descontrole: o que a globalização está fazendo de nós*. Trad. Maria Luiza X. de A. Borges. Rio de Janeiro: Record, 2007.

KUNSCH, Margarida M. Krohling et al. "As dimensões humana, instrumental e estratégica da comunicação organizacional: recorte de um estudo aplicado no segmento corporativo". *Intercom – Revista Brasileira de Ciências da Comunicação*, v. 35, n. 2, 2012, p. 267-89.

OLIVEIRA, Rosangela Florczak de. "Dimensões possíveis para o diálogo na comunicação estratégica: tecituras e religações entre o relatório de sustentabilidade e as mídias sociais da Vale". Tese (doutorado em Comunicação Social). Porto Alegre, PUC-RS, 2016. Disponível em: <http://tede2.pucrs.br/tede2/bitstream/tede/7194/2/TES_ROSANGELA_FLORCZAK_DE_OLIVEIRA_COMPLETO.pdf>. Acesso em 13 de junho de 2021.

SANTAELLA, Lucia. "Desafios da ubiquidade para a educação". *Revista Ensino Superior Unicamp*, v. 9, 2013, p. 19-28.

SANTAELLA, Lucia; LEMOS, Renata. *Redes sociais digitais: a cognição conectiva do Twitter*. São Paulo: Paulus, 2010.

SHINYASHIKI, Roberto T. "A influência da autoeficácia dos gestores na administração de crises". Tese (doutorado em Administração). São Paulo, FEA-USP, 2006. Disponível em: <https://www.teses.usp.br/teses/disponiveis/12/12139/tde-15122006-104357/publico/Teserobertoshinyashiki.pdf>. Acesso em 13 de junho de 2021.

SHINYASHIKI, Roberto T.; FISCHER, Rosa M.; SHINYASHIKI, Gilberto. "A importância de um sistema integrado de ações na gestão de crises". *Organicom*, ano 4, n. 6, 2007, p. 148-59. Disponível em: <http://www.revistas.usp.br/organicom/article/view/138931/134279>. Acesso em 21 de abril de 2020.

SOUSA, Jorge Pedro. *Elementos de teoria e pesquisa da comunicação e dos media*, 2. ed. Porto: Letras Contemporâneas, 2006. Disponível em: <http://www.bocc.ubi.pt/pag/sousa-jorge-pedro-elementos-teoria-pequisa-comunicacao-media.pdf>. Acesso em 13 de junho de 2021.

STEELMAN, Toddi A.; MCCAFFREY, Sarah. "Best practices in risk and crisis communication: implications for natural hazards management". *Natural Hazards*, v. 65, n. 1, 2013, p. 683-705.

TERRA, Carolina Frazon. "Como identificar o usuário-mídia, o formador de opinião online no ambiente das mídias sociais". *Revista Internacional de Relaciones Públicas*, v. 2, n. 4, 2012, p. 73-96.

Thomaz, J. C.; Brito, E. P. Z. "Reputação corporativa: construtos formativos e implicações para a gestão". *Revista de Administração Contemporânea*, v. 14, n. 2, 2010, p. 229-250.

Wolf, Mauro. *Teorias das comunicações de massa*. São Paulo: Martins Fontes, 2008.

Wolton, D. *É preciso salvar a comunicação*. Trad. Vanise Pereira Dresch. São Paulo: Paulus, 2006.

_____. *Informar não é comunicar*. Trad. Juremir Machado da Silva. Porto Alegre: Sulina, 2010.

VII • MÉTRICAS E AVALIAÇÃO EM COMUNICAÇÃO ORGANIZACIONAL

16. MÉTRICAS NA COMUNICAÇÃO ORGANIZACIONAL: REFLEXÕES E PROPOSIÇÕES

Bianca Marder Dreyer
Issaaf Karhawi

Durante anos, as pesquisas sobre mensuração e avaliação de resultados viram-se às voltas com uma questão importante para o campo: afinal, o que mensurar? Autores como Kunsch (2016), Galerani (2003) e Lopes (2005) assumiram a complicada missão de defender a mensuração. No entanto, se já está acordada a importância dessa atividade, os profissionais de comunicação, principalmente os relações-públicas, deparam com novo problema: como mensurar?

Em tal cenário, este capítulo tem como objetivo refletir sobre um dos temas que compõem a mensuração em comunicação, sendo talvez o mais polêmico deles: o uso de métricas na comunicação organizacional. Aqui, a base é um levantamento do estado da arte dos estudos já realizados nos campos da comunicação organizacional e das relações públicas a respeito tanto da avaliação e mensuração em comunicação quanto de diversos conceitos sobre métricas, indicadores e KPIs. Em especial, busca-se apresentar aproximações e divergências teóricas nesse campo. Ao final do capítulo, fazem-se proposições para uma atuação autônoma e assertiva no universo dos dados.

A MENSURAÇÃO EM PERSPECTIVA: UMA REVISÃO DOS ESTUDOS DA ÁREA

Na perspectiva tanto de autores brasileiros e estrangeiros como de análises do mercado, Dreyer (2019, p. 147) apresentou um panorama dos estudos sobre relacionamento em relações públicas. A relevância de mensurar o trabalho de relações públicas ficou evidente na pesquisa realizada por Huang e Zhang (2015), os quais mostram que o relacionamento entre organizações e públicos é multidimensional no conceito e carece de uma abordagem direcionada para a mensuração. Os mesmos autores apontam a necessidade de explorar um modelo teórico e metodológico para mensurar os efeitos ocultos dos relacionamentos.

Ki e Shin (2015) afirmam que não há consenso quanto à definição e mensuração do relacionamento entre organizações e públicos, pois as definições existentes diferem de autor para autor. As duas pesquisadoras concluem que poucos artigos utilizaram estratégias de monitoramento. Além disso, Ki e Shin sugerem que métodos para monitorar o relacionamento entre organizações e públicos têm potencial de desenvolvimento.

Como se vê em Jahansoozi (2013), o amadurecimento da pesquisa acadêmica em relações públicas demonstrou a importância de focar o monitoramento contínuo do relacionamento, isto é, com avaliações anteriores e posteriores à ação, e não apenas nos resultados de curto prazo de campanhas ou programas específicos. Para aquela autora, medir e avaliar elementos como mudanças de atitudes e comportamentos confere uma percepção mais sofisticada ao resultado da mensagem enviada. Além disso, mensurar resultados requer um olhar atual para os relacionamentos, com o intuito de saber como eles têm sido afetados.

No Brasil do início dos anos 2000, explica Valéria Lopes (2016, p. 340), "o tema mensuração de resultados em comunicação organizacional e em relações públicas ganhou relevância tanto no mercado quanto na academia". Naquela época, "foram defendidas a primeira dissertação de mestrado e a primeira tese de doutorado sobre o assunto [...]. Desde então, a produção e o debate a esse respeito têm sido ampliados".

Embora o debate sobre o tema tenha sido alargado, tudo indica que a produção ainda carece de mais pesquisas e publicações. Numa análise de conteúdo de artigos científicos publicados em periódicos nacionais de 2008 a 2018, Dreyer (2019, p. 66) evidenciou a quantidade de estudos que tratam de avaliação e mensuração do relacionamento. Foram encontrados dois artigos que discutem o assunto, o que correspondeu a 2,2% do total de 92 trabalhos analisados no período.

Os dados recolhidos indicam a necessidade de estudos mais específicos e aprofundados quanto à mensuração e avaliação de resultados em comunicação organizacional e em relações públicas.

MÉTRICAS EM COMUNICAÇÃO: EM BUSCA DE UMA DEFINIÇÃO CONSENSUAL

Lançado em 2006, o livro *Avaliação em comunicação organizacional*, de Gilceana Soares Moreira Galerani, foi considerado "pioneiro em sistematizar [...] os estudos sobre avaliação e mensuração em relações públicas e comunicação organizacional no nosso país" (Kunsch, 2006). Galerani discute os principais modelos de mensuração em relações públicas, até hoje empregados em organizações e em pesquisas acadêmicas. Ao longo da obra, porém, não se acha o termo *métricas*, mesmo que a autora mencione objetivos mensuráveis e indicadores de performance e de avaliação. Mais recentemente, embora os indicadores sejam parte da literatura de mensuração e avaliação em relações públicas, as métricas têm sido incorporadas às discussões da área graças às discussões trazidas pelo marketing e pela comunicação digital, mais especificamente pela gestão de redes sociais digitais. Para Panella (2007, p. 289),

> a comunicação corporativa, experimentando a necessidade intrínseca de se destacar de outras formas de comunicação, notadamente da publicitária, refugiou-se no uso (e, por vezes, abuso) do adjetivo *natural* ou *espontâneo* para caracterizar o espaço conquistado com suas ações. Nas atividades relacionadas com a imprensa, por exemplo, fala-se em espaço espontâneo na mídia (por oposição ao espaço publicitário, necessariamente pago), entre outras expressões. Queremos crer que o uso do termo – que pressupõe uma certa naturalização do trabalho realizado – retardou o processo de objetivação que sustenta as abordagens metodológicas desenvolvidas pela pesquisa tanto para o diagnóstico como para as avaliações e mensurações de resultados em comunicação corporativa.

Essa é uma das razões pelas quais as métricas são possivelmente um tema polêmico, pois têm sido muito usadas para mensurar a comunicação em plataformas digitais. Sendo assim, esclareceremos que elas também são valiosas para iniciativas distantes das mídias sociais digitais.

Na década de 1990, a comunicação começou a ser vista como estratégica para as organizações. Desde aquela época, a gestão da reputação, o relacionamento mais direto com os públicos e o estabelecimento de índices de valorização da comunicação surgiram como elementos fundamentais da comunicação organizacional. No entanto, é a partir de 2000 que a comunicação nas organizações toma novos rumos estratégicos, voltados para a comunicação digital (Dreyer, 2017, p. 41). Assim, as organizações passam a ter no espectro de gestão dos diferentes relacionamentos com os públicos a mensuração de seus programas e projetos, o que abrange a definição de métricas. É um processo contínuo de performance mediada, o qual está diretamente vinculado à atuação dos comunicadores e às respectivas estratégias de relacionamento com os públicos (Dreyer e Saad, 2018).

Monteiro e Azarite (2012, p. 93) esclarecem que métricas são "indicadores que ajudam a entender os objetivos de negócio e se eles estão sendo atingidos". Para os autores, há diferença entre os dados coletados e as métricas. Os primeiros são dados brutos, informações isoladas. Já as métricas estão sempre ligadas a informação e conhecimento. Ou seja, são dados relacionados a um significado e a uma intenção de negócio.

No mesmo sentido, Klubeck (2012, p. 46) afirma que métricas são "compostas de dados, medidas e informações. Métricas podem ser compostas de outras métricas. Métricas dão contexto total à informação". De forma geral, elas estão sempre relacionadas a uma questão-raiz e a uma história. Klubeck ainda pontua que "métricas são uma ferramenta de melhoria" (*ibidem*, p. 18).

> É muito provável que você já colete dados e medidas. Você pode ter ferramentas automáticas que rastreiem, coletem e até emitam relatórios repletos de dados e medidas. Você pode alimentar informações para um relatório anual. Você pode já atender a pedidos por medidas específicas. Dependendo da sua indústria,

pode haver padrões conhecidos que tenham sido usados por anos (se não décadas). Eles não são necessariamente métricas [...]. Esses dados e medidas são reportados, mas não usados. Eles não são usados para melhorar um processo, produto ou serviço. (*ibidem*, p. 21)

Dessa forma, deixa-se a noção de *metrificação de tudo* e vai-se para um uso, de fato, estratégico das métricas em comunicação. Assim, "não se trata de uma apologia aos números, como se 'eles dissessem tudo'. Trata-se tão somente de procurar tangibilizar melhor os resultados auferidos" (Yanaze, Freire e Senise, 2013, p. 158). Bendle (*apud* Yanaze, Freire e Senise, 2013, p. 95) traz outra definição, com base no marketing: métricas seriam "um sistema de mensuração que quantifica uma tendência, uma dinâmica ou uma característica. Em virtualmente todas as disciplinas, os praticantes usam métricas para explicar fenômenos, diagnosticar causas, compartilhar descobertas e projetar os resultados futuros".

Compreender métricas como tendência, por exemplo, é apoiar-se numa lógica de registro temporal de indicadores dentro de uma organização – prática já incentivada entre os especialistas em mensuração e avaliação. Ao registrarmos, por exemplo, o número de crises enfrentadas ao longo dos anos por uma organização e conseguirmos relacionar esses dados brutos a uma informação de negócio que pode ser convertida em melhoria na empresa, já estamos diante de uma métrica. Tal regresso teórico para a definição das métricas permite perceber a função desse tipo de dado para além da conversão em vendas ou ROI.

Associada à definição de métricas, está a de KPI – *key performance indicator*, ou indicador-chave de performance. Para Monteiro e Azarite (2012), métricas e KPIs podem ser utilizados como sinônimos. No entanto, Cinara Moura e Mariana Oliveira (2019) explicam que, "embora intimamente ligados, métricas e KPIs precisam ser diferenciados". Segundo essas autoras,

> as métricas são dados brutos que podem ser coletados em ferramentas como Facebook Insights, Google Analytics, Scup ou outro software de monitoramento e mensuração. Os KPIs, por sua vez, são indicadores definidos pelos gestores

para acompanhar o desempenho das métricas associadas ao objetivo do negócio como um todo.

Sterne (2011) também distingue métricas de KPIs. Para o autor, quando se adiciona contexto a um número, este deixa de ser mera medição (dado bruto) e passa a ser métrica. Uma organização pode festejar ter tido mais de mil visualizações de um vídeo corporativo. Aí estamos no espaço da medição. Mas, se o dado bruto – mil – for comparado à melhor marca da organização e estiver de acordo com os objetivos previstos, então teremos uma métrica. Para os KPIs, poderemos usar o mesmo exemplo ao imaginarmos o seguinte cenário: "Se essa métrica é essencial ao bem-estar da empresa, ela pode ser considerada um indicador-chave de desempenho [...]. Para ser um KPI, deve indicar o grau de eficiência com que os objetivos de sua empresa estão sendo cumpridos" (Sterne, 2011, p. 36).

Aqui, nós nos apoiamos nas definições defendidas pelos autores citados e propomos que métricas são dados associados aos objetivos e metas de comunicação, sendo passíveis de exercício de conhecimento e questionamento. KPIs são indicadores-chave que resultam das métricas e guiam a percepção quantitativa e, principalmente, qualitativa/valorativa do objetivo maior que se deseja atingir.

PARA ALÉM DA TEORIA: APLICABILIDADE DAS MÉTRICAS

Yanaze, Freire e Senise (2013, p. 69) afirmam que "pensar em mensuração de comunicação significa entender e medir os efeitos que qualquer tipo de comunicação tem sobre seus diferentes públicos". Para Dreyer (2021, p. 92), "mensurar é medir e, para medir, criam-se as métricas". Em qualquer plano, programa ou projeto de comunicação, as métricas são definidas após os objetivos e as metas.

O desafio das relações entre organizações e públicos não está apenas em desenvolver grandes projetos, nem em usar dispositivos e plataformas digitais. Tais relações dependem fundamentalmente dos resultados que as iniciativas podem trazer para a organização. Nesse sentido, é essencial compreender a importância da definição de métricas para cada objetivo e meta.

Embora sejam consideradas dados brutos, as métricas são indicadores que precisam ser definidos pelos gestores de comunicação. Alguns autores já apresentaram exemplos de métrica. Yanaze, Freire e Senise (2013, p. 160) propõem três tipos:

1. Métricas de eficiência – aderência aos objetivos de comunicação da empresa e compatibilidade com os objetivos específicos da ação.
2. Métricas de eficácia – quantidade de pessoas atingidas e resultados de pesquisa.
3. Métricas de efetividade – índice de continuidade da ação e comparativo dos resultados ao longo do tempo.

Dreyer (2021, p. 75) afirma que a relação entre organizações e públicos ocorre graças a diferentes níveis de interação. Cada nível apresenta suas respectivas métricas, relacionadas aos objetivos específicos de informar, comunicar, participar e vincular. A organização cujo objetivo for apenas informar algo a seu público terá métricas mais voltadas para suas ações (por exemplo, a quantidade de material informativo produzido e distribuído). Já aquela cujo propósito for comunicar e obter algum tipo de retorno do público obterá métricas mais quantitativas (como quantidade de inscritos, de reações e de visualizações). Por fim, as empresas que se empenharem em desenvolver relações mais próximas com os indivíduos estabelecerão objetivos para conquistar a participação e o vínculo dos públicos; logo, suas métricas serão quantitativas e, sobretudo, qualitativas (quantidade de voluntários envolvidos; tempo de envolvimento; e intensidade de participação).

Anderson *et al.* (2009) entendem que os objetivos devem ser mensuráveis segundo resultados de produção. Ou seja, resultados que dependem da organização (*outputs*), resultados desejados que são externos à organização (*outcomes*) e/ou resultados de negócios (*business results*). Os *outputs, outcomes e business results* são considerados categorias de métrica-chave, e para cada categoria há um conjunto de métricas que variam de acordo com a organização.

Renato Dias (*apud* Moura e Oliveira, 2019) apresentou cinco dimensões de métrica:

1. Métricas de relacionamento – quantidade de fãs, seguidores etc.
2. Métricas de alcance – alcance orgânico, alcance pago, alcance viral, views.
3. Métricas de engajamento – curtidas, comentários, compartilhamentos etc.
4. Métricas de atendimento – taxa de resposta, tempo de resposta etc.
5. Métricas de transações – vendas, participação em concursos, downloads, geração de leads etc.

Grunig (2005, p. 55), ao discorrer sobre métricas em comunicação organizacional e relações públicas, esclarece que

> a discussão de métricas nas relações públicas tem início no nível do programa porque este é o nível em que a maioria dos profissionais de relações públicas pensa quando são solicitados a realizar um estudo para demonstrar sua eficácia. Devemos ter em mente, porém, que um profissional experiente de relações públicas deveria começar a planejar programas de relações públicas no nível organizacional e no social, para que programas específicos de comunicação estejam vinculados aos objetivos e decisões da organização e com os acionistas que influem sobre ou são afetados pelos objetivos e decisões da organização.

O apontamento de Grunig é importante por evidenciar a relação entre as métricas e objetivos mensuráveis e os negócios de uma organização.

PROPOSIÇÕES PARA DEFINIR MÉTRICAS NA COMUNICAÇÃO ORGANIZACIONAL

A importância da mensuração em comunicação parece estar clara para acadêmicos e profissionais da área. Entretanto, para saber como mensurar de forma precisa a comunicação, é preciso elaborar um conjunto de métricas.

O fato de as métricas já terem sido discutidas e apresentadas por diversos autores (entre outros, Grunig, 2005; Anderson *et al.*, 2009; Yanaze, 2013; e Dreyer, 2021) permite aos interessados no tema a busca de exemplos mais específicos, como métricas mais voltadas para o marketing, para as mídias sociais, para o relacionamento entre organizações e públicos, para ações de responsabilidade social etc.

Dito isso, o que propomos aqui é uma etapa anterior aos diversos exemplos existentes. Nossas proposições para o uso de métricas na comunicação organizacional foram elaboradas com base em outros estudos já realizados, aí incluídos os autores aqui citados.

1. Métricas são fundamentais para acompanhar de modo detalhado a implementação das ações, os resultados e o impacto da comunicação.
2. Ainda que o monitoramento dos dados nas redes sociais digitais possa ser um facilitador no trabalho com métricas, elas não estão restritas ao digital.
3. Métricas devem ser definidas de acordo com os objetivos e as metas de cada programa, projeto ou ação que compõe o planejamento da comunicação organizacional.
4. Cada objetivo e/ou meta pode apresentar quantas métricas sejam necessárias.
5. Qualquer iniciativa de comunicação deve, em alguma dimensão, contribuir para o objetivo de negócio da organização. Assim, as métricas de tais iniciativas podem mensurar quanto a comunicação organizacional está ajudando nesse processo.
6. O profissional de mensuração deve apresentar características como versatilidade, autodidatismo e capacidade de revisão e análise críticas. Isso porque, em meio a diversas métricas possíveis e divulgadas em *cases* e estudos diversos, cabe à equipe de comunicação definir as melhores para mensurar tanto o andamento quanto o resultado de um programa ou projeto. Também é de responsabilidade da equipe eleger e desconsiderar métricas ao longo de seu programa.

CONSIDERAÇÕES FINAIS

Este capítulo teve por objetivo refletir sobre um dos temas que compõem a mensuração em comunicação: o uso de métricas na comunicação organizacional. Para isso, fizemos uma revisão dos estudos na área e apontamos a necessidade de mais pesquisas e publicações sobre avaliação e mensuração de resultados.

Na busca de uma definição para métricas, apresentamos a conceituação de alguns autores, bem como exemplos práticos. Os autores citados têm diferentes abordagens e contribuições para tratar do assunto, mas todos demonstram que as métricas são fundamentais em qualquer iniciativa de comunicação.

Com o intuito de reforçar a relevância do tema, propomos que métricas são dados associados aos objetivos e metas de comunicação e são passíveis de exercício de conhecimento e questionamento. KPIs são indicadores-chave que resultam das métricas e guiam a percepção quantitativa e, principalmente, qualitativa/valorativa do objetivo maior que se deseja atingir.

Por fim, reunimos um conjunto de proposições para a definição de métricas na comunicação organizacional. Consideramos que, embora já esteja acordada a importância dessa atividade, a resposta para "O que mensurar?" está não apenas na leitura deste capítulo, mas também, e sobretudo, nos apontamentos aqui descritos e na leitura dos demais autores que tratam do tema.

REFERÊNCIAS

Anderson, Forrest *et al.* "Guidelines for setting measurable public relations objectives: an update". Institute for Public Relations, 2009. Disponível em: <https://instituteforpr.org/wp-content/uploads/Setting_PR_Objectives.pdf>. Acesso em 29 de abril de 2021.

Dreyer, Bianca Marder. *Relações públicas na contemporaneidade: contexto, modelos e estratégias*. São Paulo: Summus, 2017.

_____. "As relações e interações como princípios inerentes às relações públicas: uma proposição teórica com diretrizes práticas para a disciplina". Tese (doutorado em Ciências da Comunicação). São Paulo, ECA-USP, 2019.

_____. *Teoria e prática de relações públicas: uma metodologia para diagnosticar, construir e obter resultados com os relacionamentos*. São Paulo: Summus, 2021.

DREYER, Bianca Marder; SAAD CORRÊA, Elizabeth. "Relacionamentos midiatizados: como estabelecer relações de confiança em tempos de *fake news*?" In: *Anais do XII Congresso Abrapcorp: Grupos de Pesquisa*. Goiânia: FIC-UFG, 2018, p. 221-35.

GALERANI, Gilceana Soares Moreira. "Avaliação em relações públicas: perspectivas teórico-práticas e estudo de *cases* do Prêmio Opinião Pública". Dissertação (mestrado em Ciências da Comunicação). São Paulo, ECA-USP, 2003.

_____. *Avaliação em comunicação organizacional*. Brasília: Embrapa, 2006.

GRUNIG, James E. "Guia de pesquisa e medição para elaborar e avaliar uma função excelente de relações públicas". *Organicom*, ano 2, n. 2, jun. 2005, p. 48-69. Disponível em: <http://www.eca.usp.br/departam/crp/cursos/posgrad/gestcorp/organicom/re_vista%202/jamesegruning.pdf>. Acesso em 29 de abril de 2021.

HUANG, Yi-Hui Christine; ZHANG, Yin. "Revisiting organization – Public relationship research for the past decade: theorical concepts, measures, methodologies, and challenges". In: KI, Eyun-Jung; KIM, Jeong-Nam; LEDINGHAM, John A. (orgs.). *Public relations as relationship management: a relational approach to the study and practice of public relations*. Nova York: Routledge, 2015, p. 3-27.

JAHANSOOZI, Julia. "Relationships, transparency, and evaluation: the implications for public relations". In: L'ETANG, Jacquie; PIECZKA, Magda (orgs.). *Public relations: critical debates and contemporary practice*. Nova York: Routledge, 2013, p. 61-91.

KI, Eyun-Jung; SHIN, Jae-Hwa. "The status of organization – Public relationship research through an analysis of published articles between 1985 and 2013: an appeal for further research". In: KI, Eyun-Jung; KIM, Jeong-Nam; LEDINGHAM, John A. (orgs.). *Public relations as relationship management: a relational approach to the study and practice of public relations*. Nova York: Routledge, 2015; p. 28-45.

KLUBECK, Martin. *Métricas: como melhorar os principais resultados de sua empresa*. Trad. Eduardo Kraszczuk. São Paulo: Novatec, 2012.

KUNSCH, Margarida Maria Krohling. "Prefácio". In: GALERANI, Gilceana Soares Moreira. *Avaliação em comunicação organizacional*. Brasília: Embrapa, 2006.

_____. *Planejamento de relações públicas na comunicação integrada*. 6. ed. São Paulo: Summus, 2016.

Lopes, Valéria de Siqueira Castro. "Gestão da imagem corporativa: um estudo sobre a mensuração e a valoração dos resultados em comunicação corporativa e relações públicas". Dissertação (mestrado em Ciências da Comunicação). São Paulo, ECA-USP, 2005.

_____. "Avaliação e mensuração em relações públicas e em comunicação organizacional". In: Kunsch, Margarida M. K. (org.). *Comunicação organizacional estratégica: aportes conceituais e aplicados*. São Paulo: Summus, 2016, p. 339-51.

Monteiro, Diego; Azarite, Ricardo. *Monitoramento e métricas de mídias sociais: do estagiário ao CEO*. São Paulo: DVS, 2012.

Moura, Cinara; Oliveira, Mariana. *Como trabalhar métricas e KPIs em mídias sociais*. E-book. 28 jan. 2019. Disponível em: <https://pt.slideshare.net/mouracinara/como-trabalhar-mtricas-e-kpis-em-mdias-sociais>. Acesso em 16 de junho de 2021.

Panella, Cristina. "Teorizar e medir: a pesquisa na gestão da imagem e da reputação". *Organicom*, ano 4, n. 7, 2007, p. 283-97.

Sterne, Jim. *Métricas em mídias sociais: como medir e otimizar os seus investimentos em marketing*. Trad. Celso Roberto Paschoa. São Paulo: Nobel, 2011.

Yanaze, Mitsuru Higuchi; Freire, Otávio; Senise, Diego. *Retorno de investimento em comunicação: avaliação e mensuração*. São Caetano do Sul/Rio de Janeiro: Difusão/Editora Senac, 2013.

AGRADECIMENTOS

AGRADECEMOS ÀS NOSSAS famílias, aos nossos colegas de mercado e academia, aos nossos alunos, aos autores convidados para este livro e, em especial, à nossa querida (e eterna) orientadora, a profa. dra. Elizabeth Saad. Para organizar esta obra, inspiramo-nos em sua valiosa contribuição à comunicação (não só a organizacional) e em sua paixão por nos instigar a ter um olhar crítico e atualizado das teorias e práticas desse campo.

OS AUTORES

Bianca Marder Dreyer
Doutora em Ciências da Comunicação pelo Programa de Pós-graduação da Escola de Comunicações e Artes da Universidade de São Paulo (ECA-USP) e mestra em Ciências da Comunicação pelo mesmo programa. Professora de Relações Públicas na Faculdade Cásper Líbero. Membro do COM+, grupo de pesquisa em comunicação e mídias digitais da ECA-USP. *biancamdreyer@gmail.com*

Bruno Carramenha
Relações-públicas, especialista em gestão de negócios e marketing e mestre em comunicação. Sócio na 4CO, eleita duas vezes (2018 e 2019) a agência-boutique do ano pelo júri do Troféu Jatobá – Prêmio Excelência em Inovação e PR. Professor em programas de graduação, pós-graduação e extensão nas mais importantes escolas de comunicação do Brasil. Autor e organizador de mais de uma dezena de livros e artigos na área da comunicação e cultura organizacional. *bruno.carramenha@gmail.com*

Carolina Terra
Tem pós-doutorado e é doutora, mestra e especialista pela da Escola de Comunicações e Artes da Universidade de São Paulo (ECA-USP). Graduada em Relações Públicas pela Universidade Estadual Paulista (Unesp-Bauru), é pesquisadora do grupo Com+ e consultora em mídias sociais e RP digitais. Docente na graduação e no programa de pós-graduação em Comunicação da Faculdade Cásper Líbero e em pós-graduações da USP. *contato@carolterra.com.br*

Daniel Reis Silva
Professor do Programa de Pós-graduação em Comunicação Social da Universidade Federal de Minas Gerais (UFMG). Professor adjunto do Departamento de Comunicação Social da UFMG, é doutor e mestre em Comunicação Social pela mesma instituição. Vencedor do Prêmio Capes de Teses (2018), do Grande Prêmio UFMG de Teses (2018) e do Prêmio Abrapcorp de Teses (2018) e Dissertações (2014). Diretor científico da Associação Brasileira de Pesquisadores de Comunicação Organizacional e

Relações Públicas (Abrapcorp) no biênio 2020-2022. Desenvolve pesquisas sobre as relações públicas críticas, os processos de formação e movimentação de públicos, a influência, a opinião pública e a vigilância civil. *daniel.rs@hotmail.com.br*

Daniele Rodrigues
Jornalista formada pela Universidade Estadual de Ponta Grossa e mestra pelo Programa de Pós-graduação em Ciências da Comunicação da Escola de Comunicações e Artes da Universidade de São Paulo (ECA-USP). Pesquisadora do COM+ e professora de pós-graduação na Escola Superior de Propaganda e Marketing (ESPM) e na Fundação Armando Álvares Penteado (Faap). Há 13 anos atua também com estratégia para marcas de diferentes segmentos. *daniele.rodrigues100@gmail.com*

Diego Wander da Silva
Doutor em Comunicação e Informação pela Universidade Federal do Rio Grande do Sul (UFRGS). Docente do curso de Relações Públicas da Pontifícia Universidade Católica do Rio Grande do Sul (PUCRS). Integra o Grupo de Pesquisa em Comunicação Organizacional, Cultura e Relações de Poder (GCCOP/CNPq). *diego.wander@pucrs.br*

Elizabeth Saad
Professora titular sênior da Escola de Comunicações e Artes da Universidade de São Paulo (ECA-USP). Docente do Programa de Pós-graduação em Ciências da Comunicação daquela universidade, orienta mestrados e doutorados. Coordenadora do Grupo de Pesquisa COM+, é autora de livros e artigos em obras coletivas e periódicos qualificados. Internacionalmente, atua como palestrante e componente do Digital Journalism Research Group, da Universidade Metropolitana de Oslo (Oslomet). *bethsaad@usp.br*

Else Lemos
Relações-públicas, doutora em ciências pela Escola de Comunicações e Artes da Universidade de São Paulo (ECA-USP) e professora titular na Faculdade Cásper Líbero. Docente em cursos de especialização nas áreas de comunicação e gestão, atua também como consultora em planejamento de comunicação. Sua contribuição para este livro apresenta reflexões que derivam de pesquisa realizada no âmbito do pós-doutorado na ECA-USP em 2019-2020. *else_lemos@uol.com.br*

Carolina Terra, Bianca Marder Dreyer e João Francisco Raposo (orgs.)

Eric Messa
Mestre em Comunicação e Semiótica pela Pontifícia Universidade Católica de São Paulo (PUC-SP) e especialista em Tecnologia Educacional pela Fundação Armando Álvares Penteado (Faap). Professor e coordenador da graduação em Publicidade e Propaganda da Faap. Idealizador e atual coordenador-geral do Núcleo de Inovação em Mídia Digital da mesma instituição. *eemessa@faap.br*

Flávia Apocalypse
Graduada em Direito e Jornalismo, atua na comunicação há mais de 20 anos. Hoje é líder de comunicação externa da Kyndryl Brasil, empresa líder mundial de serviços de infraestrutura gerenciada. Trabalhou na IBM Brasil, onde coordenou a área de relacionamento com a imprensa, de capacitação da força de trabalho e da força de vendas e foi gerente de comunicação interna, tendo criado iniciativas diversas de capacitação e engajamento. Ali foi responsável também pela comunicação interna e externa da presidência. *flaviapo@gmail.com*

Issaaf Karhawi
Doutora em Ciências da Comunicação pela Escola de Comunicações e Artes da Universidade de São Paulo (ECA-USP) e mestra pela mesma instituição. É pesquisadora do COM+ e, desde 2014, desenvolve pesquisas sobre a profissionalização dos influenciadores digitais no Brasil. *issaaf@gmail.com*

João Francisco Raposo
Especialista em Gestão da Comunicação Digital Integrada, é doutorando em Ciências da Comunicação e bolsista Capes na Escola de Comunicações e Artes da Universidade de São Paulo (ECA-USP). Publicitário formado pela Pontifícia Universidade Católica de Minas Gerais (PUC Minas), atua como pesquisador do Grupo COM+ da ECA-USP. *jota.frs@gmail.com*

Jones Machado
Doutor em Comunicação pela Universidade Federal de Santa Maria (UFSM) e bacharel em Relações Públicas. Professor adjunto da UFSM, campus Frederico Westphalen. Membro do Grupo de Pesquisa em Comunicação Organizacional e Institucional (CNPq/UFSM) e do EstratO – Estratégias Midiáticas Organizacionais (CNPq/UFSM). Com atuação de dez anos entre academia e mercado, é autor do livro *Gestão estratégica da comunicação de crise* (2020). *jones.machado@ufsm.br*

Margareth Boarini

Doutora em Tecnologias da Inteligência e Design Digital pela Pontifícia Universidade Católica de São Paulo (PUC-SP) e mestra em Comunicação Social pela Universidade Metodista de São Paulo. Graduada em Jornalismo e Letras, atua como consultora na área da comunicação corporativa e é professora em cursos de MBA. Tem experiência profissional na grande imprensa (*Folha de S.Paulo*, *Valor Econômico*) e em departamentos e agências de comunicação corporativa (Grupo Pão de Açúcar, Fiat Automóveis, CDN, Jeffrey Group e Weber Shandwick, entre outros). *magaboarini@gmail.com*

Rodolfo Araújo

Mestre em Comunicação e Semiótica e jornalista formado pela Pontifícia Universidade Católica de São Paulo (PUC-SP). Vice-presidente da United Minds, tem 20 anos de carreira em consultorias de gestão públicas e privadas. Professor de cursos livres na Faculdade Cásper Líbero e do MBA em Comunicação Empresarial da Associação Brasileira de Comunicação Empresarial (Aberje). *rodgonar@gmail.com*

Rosângela Florczak de Oliveira

Doutora e mestra em Comunicação pela Pontifícia Universidade Católica do Rio Grande do Sul (PUCRS). Professora da Escola Superior de Propaganda e Marketing (ESPM) e consultora em prevenção e gestão de crise. *roflorczak@gmail.com*

Rudimar Baldissera

Doutor em Comunicação Social. Mestre em Comunicação/Semiótica. Bacharel em Relações Públicas. Professor associado e pesquisador da Faculdade de Biblioteconomia e Comunicação e do Programa de Pós-graduação em Comunicação da Universidade Federal do Rio Grande do Sul (UFRGS). Conta com apoio Capes. Bolsista Produtividade CNPq. Líder do GCCOP/CNPq. *rudimar.baldissera@ufrgs.br*